ANNERIEKE

Julia Burgers-Drost

Annerieke

Spiegelserie

ISBN 978 90 5977 457 5
NUR 344

www.spiegelserie.nl
Omslagontwerp: Bas Mazur
© 2009 Zomer & Keuning familieromans, Kampen
Alle rechten voorbehouden

Deze roman draag ik van harte op aan de
Christelijke bibliotheek voor blinden en slechtzienden (CBB)
te Ermelo.

1

'HIER ZIT JE DUS, BETTE. IN DE KEUKEN. NET WAT IK dacht. Koffie bijzetten. De kannen zijn leeg.'
Ze lijken op elkaar, de twee zussen, althans uiterlijk. Bijvoorbeeld de donkerbruine ogen. Alleen de uitdrukking ervan is anders.
Theodosia zucht: 'Een goede reden om de kamer te ontvluchten, ja toch? De mensen blijven plakken. Voelt dan niemand aan dat het allemaal lang genoeg geduurd heeft? Een kind kan zien dat het Annerieke te veel is. De arme meid is aan het eind van haar krachten. Geen wonder, trouwens.'
'Ze hebben allemaal van haar geprofiteerd.'
Daar zijn de zussen het gloeiend over eens.
De koffie pruttelt en verspreidt een bemoedigende geur. Snuivend spoelt Bette een thermoskan met heet water om. 'Die arme meid. Ik zou willen dat ik zo'n dochter had.'
Theodosia knikt. 'Je hebt een zoon én een dochter, jij. Kijk naar mij. Ik heb man noch kinderen.'
Bette schiet uit haar slof en zegt hartgrondig: 'Wees er blij om. Nou ja, mijn Max is een goeie vent. Maar mijn zoon is vergeten dat hij ouders heeft. Weet je hoelang ik hem en zijn gezin niet gezien heb? Langer dan een halfjaar. En waarom? Omdat ze geloven in allerlei leugens. Als ik mijn dochter vergelijk met Annerieke, schieten de tranen me in de ogen. Die van mij, te gek om over te praten.' Bette perst haar lippen op elkaar, vastbesloten haar verdriet niet duidelijker te maken.
Theodosia legt een hand op haar schouder. 'Niemand heeft het gemakkelijk, meid. We dromen wat af wanneer we jong zijn, maar wat valt het tegen, niet?'
Bette giet de verse koffie voorzichtig over in de kan, en na de dop erop geschroefd te hebben zet ze meteen een nieuwe pot van het bruine vocht. Ze blikt over haar schouder. 'Jij hebt

geen klagen. Je leeft als een vorstin in dat grote huis, al is het niet van jou. Je speelt er toch zo'n beetje de huisvrouw. En je baas is een heer. Ik vraag me eerlijk af waarom jullie niet trouwen. Vertel eens, zit dat er nog in of niet?'
Theodosia is niet van plan er een eerlijk antwoord op te geven, want in dat geval zou ze moeten bekennen dat ze de hoop heeft opgegeven. 'Laten we het over Annerieke hebben. Ze heeft de beste jaren van haar leven aan haar ouders gegeven. Eerst was het Marie, die bedlegerig werd, én veeleisend. De twee jongens en hun vrouwen hadden wel iets anders te doen dan voor moeder te zorgen. En onze broer Kees was ook niet gemakkelijk. Dat is hij nooit geweest. En zeker niet toen hij die nare ziekte kreeg.'
Annerieke heeft haar moeder tot het eind van haar leven verpleegd, uiteindelijk met hulp van buitenaf. En zo is het ook gegaan toen haar vader, Kees Atema, een dodelijke ziekte kreeg. Opnieuw was Annerieke degene die de zorg op zich nam.
Bette schenkt twee kopjes koffie voor hen beiden in. 'Drink op. Je ziet er naar uit dat je het hard nodig hebt.'
'Het was me het dagje dan ook wel. Kees begraven was moeilijk. Niet dat ik overloop van verdriet. Onze relatie stelde toch niets voor.'
Bette blaast in haar kopje in een poging de koffie af te koelen. 'De relatie tussen Annerieke en de broers is ook niet veel soeps, meid. Dick en zijn Sandrien zijn twee egoïsten. Zag je hen straks kijken naar dat ene schilderijtje waarvan men zich afvroeg of het een origineel is of nep? En waarom is Yalda niet gekomen om opa te begraven? Ze mag dan een pleegkind zijn, Kees was voor haar toch opa. Maar Wieger heeft veel van onze eigen vader weg. Die is zachter van aard dan Dick. Maar ik geloof dat Annerieke ook met hem niet zo'n goede band heeft, de arme meid.'
Theodosia heft haar kopje op. 'Proost dan maar. Op onze geliefde familieleden.'

Er is in de keuken niets anders te horen dan het doorlopen van het water. Uit de kamer komt een schel gelach.
Bette haalt haar schouders op. 'Breng jij de volle kan vast naar de kamer, dan kom ik zo met nummer twee. Of nee, wacht. De cake moet nog gesneden worden.' Cake van de bakker, niet uit de supermarkt. Bette snijdt het kapje eraf en breekt het in tweeën. 'Raar dat een mens toch kan eten, wat er ook gebeurt. Op momenten als dit moet ik aan vroeger denken, bijvoorbeeld dat onze eigen moeder hier heeft gestaan om eten te koken en af te wassen.'
Theodosia knelt de koffiekan tegen haar borst. 'Ik ga vast.'
Even later komt Annerieke Bette gezelschap houden. 'Tante Bette, je bent een schat. Weet je, ik kan het in de kamer bijna niet meer uithouden.' In haar ogen glinsteren tranen. 'Het is allemaal zo raar. Pappa weg, helemaal weg nu. En alles in huis ademt nog zijn aanwezigheid. Straks gaat iedereen zijns weegs, en ben ik hier alleen. Het vliegt me nu al aan.'
Bette omarmt haar nichtje. 'Lieverd, dan nemen oom Max en ik je toch mee. Plaats genoeg. Ik help je later wel met het opruimen van alles wat weg moet. Zoiets hoeft niet de dag na de begrafenis.'
Annerieke veegt haar ogen af aan de mouwkop van Bettes bloes. 'Weet ik wel. Maar dat is het niet alleen. Sandrien doet net alsof het mijn hobby is – was, bedoel ik – mensen te verzorgen tot de dood. Ik deed het omdat het om pappa en mamma ging. Verplegen is echt mijn vak niet, hoor. En niemand keek naar hen om. Heel af en toe lieten ze zich zien. Weet je wat Sandrien opmerkte tegen de dominee? Dat ik gauw weer bezigheden moest hebben. Of dominee iemand wist die thuiszorg nodig had. 'Onze Annerie is beschikbaar.' Nou, dat ben ik niet.'
Theodosia komt de keuken binnen en plukt Annerieke van Bette weg om haar zelf te knuffelen. 'Het was een nare dag, lieverd, maar heus, er komen betere tijden. Het leven is een

golfbeweging. Ook voor jou gaat de zon weer schijnen, en jij, kind, je kunt terugkijken op goede jaren, want je bent trouw geweest en je hebt je gegeven uit liefde. Ik denk dat de Here God jou van boven een pluim geeft.'
Annerieke lacht door haar tranen heen. Je kunt toch altijd nog merken dat haar tante vroeger zondagsschooljuf is geweest.
'Ik ben alleen maar moe, lieve tantes. Zo raar moe. Zelfs wanneer ik 's ochtends wakker word, ben ik moe. Geen puf. Geen doel. Niemand die op me wacht.'
Sandrien, de vrouw van Dick, gooit de keukendeur open. 'Cake. Waar blijft de cake, dames?' Ze graait de schaal met de goudgele plakken van het aanrecht en zeilt zonder een woord te verspillen terug naar de kamer.
Annerieke zakt op een keukenstoel, de schouders gebogen en de rug gekromd. 'Ik voel me honderdéén,' zucht ze.
'Hoor haar,' roept Bette. 'Hoe oud ben je helemaal? Zesentwintig? O nee, een jaartje minder. Meid, je komt pas kijken. Goede raad van je oude tante, wat jij moet doen de komende tijd? Niets. Niks. Slapen, eten en drinken, af en toe naar buiten. Je moet tot jezelf komen.'
Annerieke glimlacht waterig. Ze bedoelen het goed, die twee zussen van pappa. Tot jezelf komen. Ze weet niet eens meer wie ze zelf is. Ze voelt zich een niemand.
Uit de gang klinkt geroep. 'Annerieke, waar zit je? De dominee wil afscheid nemen.'
Annerieke staat stijfjes op. Ik kom al, zegt ze geluidloos.
Bette en Theodosia kijken elkaar aan. 'Dat gaat niet goed. Het is aan ons een oogje in het zeil te houden, zus.'

Wanneer de laatste bezoeker is vertrokken, vallen de familieleden stil. Bette en haar zus ruimen in de keuken de rommel op en doen de afwas.
'Zo, nu moeten we het eens over de toekomst hebben.' Dick klapt in zijn handen als een ijverige schoolmeester die een

groep onwillige leerlingen wil dwingen naar hem te luisteren.
'Ja ja, dat vind ik ook,' valt zijn vrouw hem bij.
En opeens, als bij afspraak, wenden alle vier de aanwezigen hun blikken op Annerieke, die versuft in een stoel hangt. 'Het gaat om jou. Je kunt als gezonde jonge meid niet blijven nietsdoen. Nu pa's pensioen wegvalt, zul jij ook een baan moeten zien te vinden.'
Annerieke schiet rechtop. Ze staart haar broer aan, met ogen als schoteltjes, rond en verbaasd. Pappa's pensioen... Alsof ze al die jaren heeft geprofiteerd van pa, en misbruik van hem heeft gemaakt. 'Natuurlijk,' haast ze zich te zeggen.
Ook Wieger bemoeit zich ermee. Hoe verschillend de broers ook zijn, ze zijn het nu eens. Annerieke moet niet verwachten dat zij in haar onderhoud zullen voorzien.
Annerieke stamelt dat ze nog niet zo ver gedacht heeft.
Dan wordt de deur opengeduwd, en de tantes struinen achter elkaar de kamer binnen, Bette voorop.
'Zijn jullie al bezig de boel te verdelen en te stickeren? Mooi stel zijn jullie. Je vader ligt nog maar net onder de aarde. Hij moest jullie eens kunnen horen.' Bette spreekt op een manier die iedereen doet zwijgen.
Alleen de vrouw van Wieger laat zich horen, Esther. 'Dat vind ik ook, tante Bette. U hebt gelijk. En zie Annerieke nu eens zitten. Ze is meer dood dan levend. En in plaats van met haar te doen te hebben, willen de mannen haar op slag aan het werk zetten. Mag ze even bijkomen van alles wat ze voor pa en ma gedaan heeft? Welke dochter – of zoon – doet zoiets nog tegenwoordig? Ik vind dat we Annerieke iets verschuldigd zijn. Dat we haar op onze kosten een vakantie moeten aanbieden of zoiets.'
Stilte.
Alle ogen zijn nu op Esther gericht.
Bette en Theodosia zijn gaan zitten en knikken gelijktijdig en op dezelfde manier. 'Je hebt gelijk. Als we niet op Annerieke

passen, hebben we er zo een patiënt bij in de familie. En wie zorgt er dan voor haar?'
Dick blijft bokkig. 'Er is nu eenmaal veel te bespreken. Dat was anders na de begrafenis van onze moeder. Pa was er immers nog. Het huis behoorde aan hem.'
Theodosia begrijpt wat de volgende zet zal zijn. 'Beste neef, dat kan allemaal wachten. Alles moet bezinken. En Esther heeft gelijk. Annerieke zit erdoorheen. Zien jullie dat dan niet? Het huis, de inboedel en alles is nog warm. Je moet de besprekingen opschorten, jongen, minstens een week of drie, vier. Me dunkt dat jullie toch eerst de dood van je vader moeten verwerken.'
Dick mort: 'U weet heel goed dat pa al maanden zo goed als dood was. Zijn overlijden kwam als een verlossing.'
Annerieke begint geluidloos te huilen. Pa. Niet langer de altijd norse, kribbige pappa. Maar een schim van de man die hij was. Ze heeft hem met liefde verzorgd tot het einde toe. Vlak voordat hij stierf, had hij haar hand gepakt en haar bedankt. Heel onhandig. Hij was niet gewend zijn gevoel of waardering te tonen. Maar het was meer dan Annerieke verwacht had.
Esther staat als eerste op. Ze kamt met twee handen haar wilde en niet te temmen haarbos. 'Annerieke, als je me nodig hebt, ben ik er voor je. Onthoud dat. Ik bel je van de week. Of weet je al wat het reisdoel zal worden?'
Schoonzus Sandrien reageert verontwaardigd: 'Nou zeg.'
Theodosia komt tussenbeide. 'Ik ben van plan Annerieke een week of twee mee naar Apeldoorn te nemen. Bij ons kan ze rust krijgen zoveel als ze nodig heeft. Volop natuur, goed voedsel en rust zullen wonderen doen.'
Dat vindt Esther een prima idee. 'Ze kan het nergens beter krijgen, tante. Lief van u.'
De broers doen er het zwijgen toe. Wieger legt een arm om de schouders van zijn tengere vrouw. 'Jij bent een kei, schat, en zoals altijd heb je gelijk. Ik schaam me dan ook een beetje. An-

nerieke, ga maar lekker met tante mee. We laten het huis voor wat het is en praten er later over.' Hij schraapt zijn keel. 'En ik spreek namens allemaal hier dat we dankbaar zijn voor wat jij voor onze ouders hebt gedaan.'
Annerieke knikt. Het is haar nooit gevraagd of ze de zorg op zich wilde nemen. Het sprak allemaal zo vanzelf. Een vertrouwde en bovendien goedkope kracht.
Esther is nog niet klaar. 'En ik vind dat er rekening gehouden moet worden met wat Annerieke heeft gedaan zonder dat ze ooit salaris heeft gekregen. Kost en inwoning, ja... Mag ik even lachen? Een baan van zeven dagen per week. Iedere dag moest ze vierentwintig uur klaarstaan.'
Wieger leidt zijn vrouw de kamer uit voordat ze nog meer te berde kan brengen.
'Blijf zitten, Annerie. Ik laat het gezelschap uit.'
Annerieke kijkt hen door het raam na: haar broers, keurige heren in donkere kostuums, en de schoonzussen, elegant en eigentijds gekleed.
Theodosia komt op de leuning van Anneriekes stoel zitten. 'Waarom hadden Dick en Sandrien hun dochter niet meegebracht?' informeert ze. Yalda mag dan een pleegkind zijn, voor de familie voelt het toch als eigen vlees en bloed.
'Ik geloof dat ze grieperig was. Gisteren klonk ze door de telefoon nog zo helder als wat. Maar het kan wel waar zijn. Dat weet je bij haar nooit.'
Bette trekt de verschoven stoelen weer op hun plaats en schudt de kussentjes op die op de bank liggen.
'Kom, Annerieke, ga naar boven en pak een koffertje. Als jullie gaan, sluit ik het huis af. De kamerplanten neem ik mee, want je kunt je buren niet vragen. Die wonen net iets te ver bij je vandaan. Ik ga af en toe langs om de post te halen en een oogje in het zeil te houden.'
Theodosia gaat staan en strijkt haar rok glad. Ze wil naar huis. 'Ja, Bette heeft gelijk. Ga maar gauw naar boven, lieverd.'

Annerieke gehoorzaamt als een braaf klein kind. Op haar kamer ploft ze op het bed neer. Ze is niet zichzelf. Zo overgevoelig was ze toch nooit? Het zal de spanning van de afgelopen weken zijn, die een uitweg zoekt. Of ze er goed aan doet met tante Theodosia mee te gaan? Doet ze er niet beter aan thuis te blijven en de situatie onder ogen te zien? Opeens stormen er allerlei vragen door haar hoofd. Het huis, moet dat verkocht worden? De spullen van pappa, zijn kleding, persoonlijke dingen. Moet alles in drieën verdeeld worden? Hoe doen andere mensen dat? Ze veegt met de rug van haar hand langs haar ogen om hete tranen weg te poetsen. Uitstel, heerlijk uitstel. Mee met tante naar Apeldoorn, net als toen ze een klein kind was, verzorgd en verwend worden in dat heerlijke grote en oude huis. Deftig vond ze het daar. Tante is een soort huishoudster, maar dan wel een die vertrouwelijk omgaat met de heer des huizes en de indruk wekt dat zij het in de villa voor het zeggen heeft. Ze hoort de tantes beneden op goedmoedige toon met elkaar kibbelen. Het maakt dat ze glimlacht. Om niets kunnen ze van mening verschillen.
'Vader en moeder hielden meer van jou dan van mij, Theodosia.'
'O ja, en waarom dan wel?'
'Alleen je naam al. Bette, twee lettergrepen en meer niet. Maar dan jouw naam, een met een betekenis: van God gegeven.'
Dat soort gesprekken hebben die twee vaak, tot vermaak van Annerieke. Ze haalt een grote koffer uit de kast van een logeerkamer en zet die geopend op haar bed. Ondergoed, truien en broeken, rokken en panty's. Sokken ook, voor in de wandelschoenen. Heerlijk door de bossen sjokken, anemonen plukken. Ze weet blindelings de plekken te vinden waar de tere bloemetjes groeien. Haar handen verrichten automatisch het werkje.
Net wanneer ze de koffer dichtknipt, stampt tante Theodosia de trap op. 'Klaar? Ik wil graag weg uit dit huis.' Ze neemt de

koffer van Annerieke over en vertelt dat Bette zich ook over de vuile was zal bekommeren die in de mand zit. 'Je hoeft nergens over na te denken. Laat je maar gaan en kom mee.'
Annerieke krijgt van Bette, die met haar jas klaarstaat, een stevige knuffel. 'Bel nog maar eens, meisje. Je bent wel een wees – een volwassen wees –, maar je hebt ons nog.'
Even later rijden de twee weg in Theodosia's wagentje.
Hij ruikt nog nieuw, vindt Annerieke. Ze leunt met haar hoofd tegen de zijwand. Zo moe als ze is...
'Esther is een beste meid,' vindt Theodosia. 'Zij houdt Wieger op het goede pad. Heb je gemerkt dat ze hem handig op andere gedachten kan brengen wanneer Dick hem van iets wil overtuigen?'
Annerieke weet er alles van. Wanneer ze de gedenknaald in Apeldoorn passeren, zegt ze blij te zijn even afstand te kunnen nemen. 'Je weet toch wel zeker dat meneer Van Amerongen het goedvindt dat je een logee meebrengt?'
'Geen probleem,' lacht Theodosia. Ze rijdt de Amersfoortseweg op en wijst Annerieke op de struiken aan weerszijden van de weg. 'Alles begint uit te lopen. Je moet onze tuin zien. Vorig jaar heb ik van die kleine narcissen geplant. Bloeien dat ze doen. Het is altijd ruzie met de tuinman. Ik wil planten, bollen en knollen op plekken zetten die hij ongeschikt vindt. We bekijken het van verschillende kanten. Letterlijk. Hij wil dat je vanaf de straat ziet hoe mooi de tuin is, en ik wil vanuit het huis genieten van de bloemen. Vooral nu, in de lente. Het is nog te koud om op het terras te zitten, en dus moeten we vanuit de kamers kunnen zien hoe de boel groeit en bloeit.' Theodosia sorteert voor, remt af en rijdt de oprit van de statige villa op. 'We hebben het rijk alleen. Titus is tegenwoordig druk met zijn club. Kerels die niets omhanden hebben en te veel energie. Ze zijn bezig oude routes op de Veluwe te herstellen. Stapels boeken en oude documenten gaan van hand tot hand. Het zijn net kleine jongens. Enfin, hij is er gelukkig mee.'

Theodosia lacht de lach van een gelukkige en liefhebbende vrouw, beseft Annerieke.
Een ruk aan de handrem. 'Zo, we zijn er. Welkom, meisje. Kom mee, dan gaan we zien wat onze onvolprezen hulp heeft gekookt. Ze heeft ooit op Het Loo geassisteerd in de keuken tijdens een groot feest, en daar gaat ze prat op. Alsof ze een embleem in de kast heeft waarop staat: hofleverancier.'
Voor het eerst in dagen moet Annerieke lachen. Het is een ongekend gevoel alle beslommeringen die haar de laatste jaren hebben beziggehouden, even van zich af te kunnen zetten.

Nadat de koffer is uitgepakt en de kleding in de antieke kasten is geborgen, dwaalt Annerieke door het huis, om de sfeer te proeven. Het ademt het begin van de vorige eeuw. Met een beetje fantasie hoor je de wielen van de koetsen ratelen over de steentjes naast het huis. De stallen zijn omgebouwd tot garages. Achter het huis is een enorme tuin: perkjes, omgeven door vakkundig gesnoeide buxusstruikjes. Oude bomen geven in de zomer de nodige schaduw. En het gazon is als het spreekwoordelijke biljartlaken. In huis is het stil, en het ruikt er naar lavendel en boenwas. Het verkeer op de Amersfoortseweg is goed hoorbaar. Langzaam loopt Annerieke de brede trap af.
In de vestibule staat haar tante met een stapel post in haar handen. 'Kom, dan gaan we in de serre zitten. De dagen worden al snel veel langer. Heerlijk is dat ieder jaar. Het ontwaken van de natuur.' Eenmaal gezeten op een comfortabele stoel van rotan sorteert ze de post in stapeltjes. 'Hij – ik bedoel Titus – krijgt tegenwoordig post uit het hele land in verband met zijn nieuwe hobby. Ze willen er zelfs een boek over gaan uitgeven. Ze ruziën over de titel. Ik zei al: net kleine jongens.' Ze snuffelt aan een zachtgekleurde enveloppe, kijkt fronsend naar de afzender en legt hem op het stapeltje dat voor Titus van Amerongen bestemd is. 'Geurige post, hm.' Ze schuift Annerieke

een dikke folder toe waarin kleding staat. 'Prijzig, maar voor elk wat wils. Ik bestel er vaak iets.'
Kleding is iets wat Annerieke de laatste jaren niet heeft kunnen boeien. Voor de begrafenis van haar vader heeft ze zelfs in opdracht van Sandrien iets nieuws moeten kopen, opdat ze de familie niet te schande zou maken. Ze kijkt, alsof ze hem voor het eerst ziet, naar de donkere rok die ze draagt. In de zwarte panty zit een ladder, en haar zwarte bloes voelt aan alsof hij scheef zit. 'Vindt u het erg, tante, als ik naar mijn kamer ga? Ik ben zo raar moe.'
Theodosia schuift de post terzijde en informeert of Annerieke nog trek heeft in het een of ander.
Annerieke wrijft over de plaats waar ze haar maag vermoedt. 'Het eten was niet alleen heerlijk, maar ook nog eens heel veel.'
'Dan breng ik je straks een beker melk met honing. Dat is voor van alles en nog wat goed. Neem eerst maar een lekker bad. Ik heb badzout en olie voor je klaargezet.'
En driesterrenhotel is er niets bij, bedenkt Annerieke wanneer ze zich in het badschuim onderdompelt. Het warme water maakt haar slaperig. Slapen, ongestoord doorslapen, wat een luxe. Haar lichaam schreeuwt er als het ware om. Aan een haak hangt een badjas voor haar klaar. Zwaar en dik voelt hij aan. Zoals alles in dit huis heeft ook dit kledingstuk kwaliteit.
Eenmaal in bed, zittend tegen een dik kussen, wacht ze op tante met haar toverdrank.
'Je ziet er rozig uit. Je bent nog zo jong, meisje. Voordat je het weet, ben je hersteld en kun je door met het leven. Want ja, of je dat nu wilt of niet, het is wel een feit.'
De honingmelk is zo zoet dat Annerieke ervan gruwt.
'Lekker drankje, hè?' zegt Theodosia tevreden terwijl ze de gordijnen sluit.
'Ik maak je morgenochtend niet wakker. Slaap maar eens goed uit. Voor mij ben je een tijdje mijn patiëntje.'

Het patiëntje wordt even later toegestopt. En een nachtzoen krijgt ze ook nog.
De lieve donkere ogen van Theodosia kijken haar warm aan. Annerieke dringt haar tranen weg, want het zijn net de ogen van pappa.
'Welterusten, tante. U bent een schat.'
Of het nu komt van de honingmelk of het weldadige bad, een kwartier later zakt Annerieke voor het eerst in tijden ontspannen weg in de verlossende armen van de slaap.

2

HET IS ALSOF ZE HERSTELLENDE IS VAN EEN ZWARE griep. Met dat onplezierige gevoel zweeft ze de eerste dagen van haar logeerpartij door de villa van Titus van Amerongen. Tante Theodosia is allerliefst en slooft zich uit om het haar logee naar de zin te maken.
Af en toe belt tante Bette. Ze deelt mee dat ze de reacties op het overlijdensbericht van Kees Atema zal afhandelen, zodat Annerieke zich daarom niet hoeft te bekommeren.
De broers en hun vrouwen laten niets van zich horen.
Na een weekje Veluwe voelt Annerieke zich met de dag beter, wat haar lichamelijke conditie betreft. Voor de rest wil het nog niet echt. De uitgesproken en niet uitgesproken dreigementen van haar broers zitten haar dwars. Het huis zal verkocht moeten worden, hun geboortehuis, de woning waar haar grootouders als bruidspaar ingetrokken zijn. Ze kan zich niet voorstellen ergens anders te moeten wonen. En wat voor werk zou ze kunnen vinden? Ze heeft alleen maar ervaring in het verzorgen van haar zieke en uiteindelijk stervende ouders. Maar ze kan geen diploma laten zien. Misschien moet ze eerst aan de studie. Aan het eind van de tweede week voelt ze zich zo sterk dat ze het aandurft de situatie onder ogen te zien.
Tante Theodosia laat haar node gaan.
Ook van Titus mag ze best nog een week of twee blijven.
De dag voor haar vertrek neemt tante haar nicht mee Apeldoorn in. 'Laat mij je nu eens lekker verwennen.'
Ze sjouwen samen kledingwinkels af, wat resulteert in vier handen vol plastic tasjes.
'Te gek, tante Theodosia, zo veel kleding heb ik nog nooit in één keer gekocht. Als mijn moeder dit kon zien...'
Het is de vraag wie van hen beiden het meeste plezier beleeft aan de strooptocht.

’s Middags deelt Titus mee dat er ’s avonds een gast komt eten. ‘Het eerste vrouwelijke lid van ons genootschap. Haar familie bezit grond, vooral bossen en heidevelden. Die grond grenst aan het Kroondomein. Ze is een Van Swinkel, Theodosia. Freule Annette van Swinkel. Zegt die naam je iets?’
‘Zeker wel. Af en toe duikt ze op in krantenartikelen. Sociaal gebeuren, cultuur, dat soort zaken. Wel, dan krijgen we hoog bezoek.’
Wanneer Annerieke naar boven is om zich op tantes verzoek om te kleden, arriveert de freule.
Annerieke kijkt uit het raam van haar kamer en ziet een nieuw model wagen op de oprit staan. Ze aarzelt bij het kiezen van de juiste kleding. De freule zal wel een klassiek type zijn, en omwille van tante Theodosia zal ze zich aanpassen. Tante was verrukt dat er weer ‘gewone japonnen’ in de rekken hingen. Even later loopt Annerieke, gehuld in een donkerblauw jurkje met witte biezen, de trap af. Ze hoort Titus nogal opgewonden spreken. Ze vindt hem in de vestibule, in gezelschap van de freule. Ze is jonger dan Annerieke dacht. Ze had zich een dame op leeftijd voorgesteld, waardig en corpulent. Freule Annette echter is jonger dan tante Theodosia, en erg modern gekapt en gekleed.
Titus merkt aanvankelijk niet dat Annerieke op hen af loopt. Pas wanneer ze groet, komt hij bij zijn positieven.
De freule bekijkt Annerieke van top tot teen.
Annerieke voelt zich een stuk vee dat op de markt te koop wordt aangeboden.
Titus stelt hen aan elkaar voor en kijkt om zich heen waar zijn huishoudster toch blijft.
Zodra tante Theodosia uit de eetkamer komt, ziet Annerieke dat deze zich wapent voor de ontmoeting.
Titus roept op gemaakte toon: ‘Daar hebben we mijn onvolprezen huisdame. Mag ik je voorstellen, Annette...’
Annerieke duikt de eetkamer in en ziet dat haar tante de tafel

deskundig heeft gedekt. In het midden staat een kunstig bloemstukje, dat ze samen na de winkelsessie gekocht hebben in een bloemenboetiek. De glazen en het bestek glanzen.
Tijdens de maaltijd gaat het gesprek over de Veluwe, de oude paden en de nieuwe plannen om de routes van weleer te herstellen.
Titus houdt geen oog van zijn gast af.
Het irriteert Annerieke uitermate.
Hij lijkt haar en tante Theodosia niet te zien. Na het dessert kondigt hij aan dat de freule en hij nog het een en ander te bespreken hebben. 'Er zijn namelijk oude kaarten opgedoken, bij een bejaarde heer in diens bibliotheek. Eh, kun jij ervoor zorgen, Theodosia, dat de koffie in mijn kantoor wordt gebracht?'
Tante knikt onderdanig. Ze krijgt opeens de volle belangstelling van de freule.
'Wat een eigenaardige naam hebben ze u gegeven. Theodosia, wel...'
Annerieke zegt met iets te luide stem: 'Het is inderdaad een bijzondere naam. Het is een naam met betekenis. Hij betekent: van God gekregen.'
De freule knikt genadig.
Titus voert zijn gast naar zijn eigen domein. Hij spreekt met zijn stem en zijn handen.
Zodra de twee buiten gehoorsafstand zijn, blaast Annerieke: 'Wat stelt Titus zich aan, tante. Is hij nu zo verrukt van de titel freule of voelt hij zich tot dat mens aangetrokken? Ach, misschien zijn het alleen de oude paden die ze samen willen ontdekken, ten behoeve van de mensheid.'
Theodosia geeft geen antwoord. Ze knikt slechts.
Annerieke zet het gebruikte serviesgoed op het klaarstaande serveerwagentje, dat even later door de keukenhulp wordt gehaald.
Theodosia geeft de opdracht door de koffie naar het kantoor

te brengen. Het is duidelijk dat Titus met de freule alleen wil zijn. 'Zal ik je helpen met het pakken van je koffers, lieverd? Ik zal er een van mezelf van boven halen. Je nieuwe kleren kunnen niet in de tasjes blijven zitten. Je ziet er trouwens allerliefst uit.'

Annerieke merkt best dat haar tante uit haar humeur is, ook al laat ze dat niet blijken. Annerieke begrijpt wat de reden is: Titus gedroeg zich beslist anders dan normaal. Ze vond hem net een verliefde puber, zoals hij zich uitsloofde om bij de freule in de smaak te vallen. Ze zou deze mening best willen uiten, maar zo te zien is tante Theodosia niet in de stemming om daarover te praten.

'Ik stel voor dat we morgenvroeg na het ontbijt vertrekken. En ik zal Bette bellen en vragen of ze een en ander voor je in huis wil halen. Zullen we afspreken dat we met ons drietjes de lunch gebruiken? Zeker weten dat Bette daar graag voor zal zorgen.'

Annerieke vindt het allemaal best. 'Ik zal alles hier missen, tante. Maar u het meest van alles. Te gek, zo veel als u voor me heeft gedaan. Ik weet niet hoe ik u moet bedanken.'

Tante Theodosia geeft haar nicht een knuffel.

'Ik heb van alles genoten. De heerlijke wandelingen in het bos, zomaar aan tafel schuiven zonder zelf gekookt te hebben, voor mij allemaal pure luxe.'

Later, in bed, overdenkt Annerieke haar verblijf in het huis van Titus van Amerongen. Ze snuift de heerlijke dennengeur op die door het openstaande raam komt binnendrijven. Zomer en winter heeft ze in haar slaapkamer een raam open. Al naar gelang van het weer: soms wijd open, in de winter vaak op een grote kier. Ze mocht tante Theodosia altijd wel, maar meer dan een tante was ze nooit. Dat is nu veranderd. Ze heeft haar vaders zus op een andere manier leren kennen. Ze verheugt zich erop tante Bette ook weer te ontmoeten. Ze is van plan in de toekomst de verbeterde relatie in stand te houden.

Bette heeft zich uitgesloofd. Het huis is één en al welkom, constateert Annerieke meteen zodra ze de drempel over stapt. Alles blinkt, en het ruikt fris. De ramen zijn schoon, en nergens ligt stof. De rouwpost is verwerkt, en de koelkast is gevuld met lekkere hapjes.
'Jij bent tenminste nog dankbaar. Mijn eigen kroost reageert wel wat anders,' zucht Bette wanneer Annerieke haar uitvoerig bedankt.
'En reken maar dat ik mijn logee zal missen.' Theodosia is tijdens de lunch nogal stil, merkt Annerieke op.
Bette is aan één stuk aan het woord.
Na het eten stapt Theodosia meteen op. Met tranen in de ogen kust ze Annerieke op beide wangen. 'Vergeet niet dat je me altijd mag bellen. Ook als er niets te vertellen is.'
Tijdens de afwas brengt Bette het gesprek op de broers van Annerieke. 'Ze hebben druk vergaderd, die twee. Ik kwam Esther tegen bij V&D. Ze nodigde me uit voor een kopje koffie met gebak. Zeg ik geen nee tegen. Algauw kwam het gesprek op jou en dit huis. Ik waarschuw je maar vast: ze willen geld zien. Esther niet. Zij is de enige van het stel met wie je echt kunt praten. Wieger laat zich meesleuren door de wil van de ander. Zo was je moeder ook. En Dick is net je vader. Kees kon als kind al stroef en hard zijn. Maar mij gaat het om jouw toekomst.'
Annerieke klemt een bord plus theedoek tegen haar borst. 'Ze willen het huis verkopen. Ik moet een flatje of zoiets zoeken. Hoe moet dat dan? Een eigen inkomen heb ik nog niet. Ik wil graag werk zoeken. Dat wilde ik al toen ik van school kwam. Maar u kent het verhaal, tante Bette. Ik kan niet tegen de jongens op.' Annerieke vecht tegen haar tranen. Zouden ze echt in staat zijn haar pardoes op straat te zetten? Dat doe je nog niet met een zwerfkat.
Bette praat maar door.
Annerieke luistert maar half.

'Ze hadden jou van het begin af aan moeten betalen, die ouders van je. Ze konden op hun vingers narekenen dat je ooit voor een probleem zou komen te staan. Ik vind dat daar rekening mee gehouden moet worden. Als je eens een deskundige inschakelde?'
Annerieke komt voor haar ouders op. 'Tante Bette, het is geen opzet geweest. Toen mamma zo ziek werd, was het logisch dat ik voor haar zorgde, en echt, ik heb het met liefde gedaan. Ze was maar wat dankbaar dat er geen hulp van buitenaf hoefde te komen. Ik was vertrouwd en eigen. Dat zei ze vaak. Wie kon weten dat pappa hetzelfde zou overkomen? En van tevoren weet je ook niet hoelang zoiets gaat duren. Nee, ik heb geen moment spijt gehad van de tijd die ik aan hen heb gegeven. Ze hebben, toen ik een kind was, voor mij gezorgd.'
Bette legt moederlijk een arm om de schouders van haar nichtje. 'Zo kun je het ook bekijken. Maar je moet wel leren voor jezelf op te komen. Je hebt hard gewerkt, maar in een beschermde omgeving. Nooit vakantie, nooit op stap met vrienden. Heb je weleens vrienden en vriendinnen?'
Annerieke lacht door haar tranen heen. 'Niet zoals u bedoelt. Er zijn wel een paar goede kennissen, maar ik ben nog nooit echt vertrouwd geweest met wie dan ook. Tja, misschien ziet iedereen me wel zo. Een doetje dat bij pappa en mamma thuis is gebleven, uit gemakzucht of iets dergelijks, terwijl ik hier uiteindelijk de persoon was die de leiding had. Geloof me, ik zou het zo weer doen.'
Bette poetst het aanrecht droog en moppert dat er geen vaatwasser in de keuken aanwezig is. 'Het is nog dezelfde oude troep als toen ik zo oud was als jij. Mijn ouders waren conservatief, maar de jouwe waren nog een graadje erger.'
Wanneer Bette na een uitgebreid afscheid vertrekt, overvalt Annerieke de inmiddels vertrouwde dodelijke vermoeidheid. Ze dwaalt door het huis, dat vreemd leeg is zonder vader en zijn ziekenhuisbed. Ze is dankbaar dat hij uit zijn lijden is ver-

lost. Ze gunt hem zijn verblijf bij de Here, verenigd met hen die hem lief waren. Zo vaak zei hij het: 'In het huis mijns Vaders zijn vele woningen.' O ja, dat gelooft ze meteen. Maar er is geen handleiding voor de mensen die na een sterven achterblijven en moeten zien de draad van het leven weer op te pakken. Boven opent en sluit ze kasten. Er zal opgeruimd moeten worden. Zelfs van haar moeder zijn nog veel spullen die pa niet kon missen. Iedereen zal roepen: 'Dat doet Annerieke wel even. Die heeft toch niets omhanden.'
Beneden rinkelt de telefoon.
Annerieke haast zich de trap af.
'Met mij, met Yalda. Gelukkig dat je weer thuis bent, Annerieke. Mag ik even bij je langskomen?'
Het meisje klinkt alsof ze gehuild heeft. 'Natuurlijk, ik zit hier ook maar in m'n eentje.'
Yalda is de geadopteerde puberdochter van Dick en Sandrien. Vanaf haar tweede verjaardag woont ze bij hen. De kinderjaren verliepen perfect. De pleegouders hadden niets te klagen. Maar nu Yalda in de puberteit is, lijkt het mis te gaan. Annerieke vraagt zich af wat normaal is voor die leeftijd, en wat niet. Ze kan zich niet herinneren dat ze zelf zo opstandig en onwillig is geweest. Nou ja, ze dacht wel anders dan haar ouders, maar ze ging nooit tegen hen in. Want al snel klaagde haar moeder over ditjes en datjes. Altijd moe, altijd hier of daar een pijntje. Annerieke voelde zich al snel schuldig en keek haar ouders naar de ogen. 'Zo zit ik nu eenmaal in elkaar,' zucht ze hardop terwijl de bel dringend rinkelt.
'Fijn je te zien, Yalda. Kom gauw verder, meid. Zin in thee of iets anders? Cola, fris?'
Yalda omklemt Annerieke alsof ze haar nooit zal loslaten. 'Fijn dat je thuis bent. Ik hield het niet meer uit. Paps en mams... Sorry, het is jouw familie, maar het zijn soms onmensen, die niet weten waar een jonge meid recht op heeft. Ik denk erover weg te lopen.'

Annerieke kijkt haar verschrikt aan. 'Doe nou geen gekke dingen. Zal ik thee zetten?'
Theetijd, dat is voor tante Theodosia een dagelijks ritueel waar niet van afgeweken mag worden. 'Thee? Jij hebt vast niets anders in huis dan gewone thee. Geen kaneel-, pepermunt- of aardbeienthee? Brandnetelthee, die is lekker.'
Het blijkt dat tante Bette zelfs aardbeienthee heeft gekocht. Terwijl Yalda in de kamer op de bank gaat zitten, nadat ze een aantal kussens om zich heen heeft geschikt, zet Annerieke water op. Het is niet gemakkelijk met Yalda een gesprek te voeren. Ze klaagt steen en been over haar ouders, vriendinnen en leraren. En na iedere klacht moet je als degene die haar aanhoort, laten merken dat je het met haar eens bent. En het kan voorkomen dat ze later de eigen woorden in de mond van die ander legt.
Annerieke weet dat ze voorzichtig moet zijn met haar antwoorden.
Ze zit nog niet op een stoel of Yalda steekt van wal. 'Met mams valt niet te praten. En ze wordt woest als ze merkt dat ik naar tante Esther ben geweest. Die kan luisteren. Dat is een heel ander soort mens dan mams. Vind jij toch ook?'
Annerieke concentreert zich op haar thee. 'Niemand is hetzelfde.'
'Nou ja, ik heb met Esther te doen. Ik ben bang dat oom Wieger en zij uit elkaar gaan. Als ik haar was, had ik allang de benen genomen.'
Annerieke zet haar kopje met een klap terug op het schoteltje. 'Zeg niet zulke onzin.'
Yalda's ogen worden donker. 'Ze accepteert alles van hem. Had je niet gedacht, hè? Ze laat zich aftuigen. Hij maakt haar uit voor alles wat lelijk en vuil is. En wat doet Esther? Ze kruipt zo ongeveer naar hem toe. Walgelijk.'
O, dat is nog niet alles. Yalda zal eens een boekje opendoen over alles wat tante Esther moet verdragen. 'Wist jij dat ze

zwanger is? Jawel, en oom Wieger beschuldigt haar ervan dat hij niet de vader is.'
Dit gaat Annerieke te ver. 'Ik weet zeker, Yalda, dat je spoken ziet. Je verzint maar wat.'
Dikke tranen wellen in de mooie ogen op. 'Je gelooft me niet? Jij niet? Nou, de toekomst zal het leren.'
Esther zwanger? Het zou kunnen. Maar voor Annerieke staat vast dat er maar één de vader kan zijn, en dat is haar broer. Voorzichtig brengt Annerieke het gesprek op andere zaken. De school bijvoorbeeld? Hoe gaat het daar?
'Hm, sommige vakken... Dat is balen. En dacht je dat mijn ouders ooit tijd hebben om me te helpen? Overhoren of zoiets? Vergeet het. En als ik problemen heb met scripties, roepen ze dat ik alles wat ik wil weten, op internet kan vinden. Ze zijn altijd weg. Vergaderingen, clubjes, weet ik veel. Waarom hebben ze een kind genomen? Om compleet te zijn, beweerde mijn lieve mams. Toen ik klein was, liep ze met me te pronken. Mooie jurkjes, lakschoentjes, balletles, pianoles... Wie neemt nou een kind voor zichzelf?'
Annerieke vermant zich en besluit voor haar broer en schoonzus op te komen. 'Ze waren blij met jou. Ik weet nog hoe opgewonden ze waren toen ze naar Roemenië gingen. Wij allemaal. En zeker mijn moeder, die tegen iedereen riep dat ze oma zou gaan worden. En echt, Yalda, je was een dotje. Iedereen was van het begin af aan stapel op je.'
Yalda roept dat ze dit verhaaltje wel kent. 'Woord voor woord. Maar niemand weet hoe het bij ons achter de schermen toeging. Liefde? Hahaha.' Opeens begint het meisje te huilen. Heel haar jonge lijf schokt. 'Ik wil daar weg. Echt waar. Ik wil bij jou wonen, Annerieke. En echt, ik zal je overal mee helpen. Alsjeblieft. Anders ga ik naar Amsterdam of zo.'
Annerieke probeert het meisje te kalmeren, wat niet meevalt. En wanneer even later een ongeruste Sandrien belt of Yalda soms bij haar is, kan Annerieke haar geruststellen.

Sandrien vaart uit, op hoge toon.
Annerieke houdt de telefoon een eindje van haar hoofd af en wenst dat ze nog maar in Apeldoorn zat.
'Ik kom haar halen, en wanneer ze thuiskomt, zwaait er wat. Het moet uit zijn met dat ge... ge... gedoe.'
Yalda stormt de kamer uit. Haar voeten roffelen op de trap.
'Ze is wat overstuur, Sandrien. Weet je wat? Ik breng haar terug zodra ze gekalmeerd is. Dat lijkt me het beste. Op dit moment is ze niet aanspreekbaar.'
Sandrien kreunt. 'De puberteit... Waren wij zelf ook zo lamlendig en tegendraads? Als ik de dochters van mijn vriendinnen met Yalda vergelijk, ben ik jaloers. Die vriendinnen winkelen met de meiden. Ze luisteren naar elkaar. Met Yalda heb ik momenteel niets. We leven langs elkaar heen. Ik heb voorgesteld dat we hulp zoeken, maar daar past mevrouw voor.'
'Ze wil hier logeren,' mompelt Annerieke.
'Geweldig. Je mag haar hebben,' briest Sandrien.
Dat is Annerieke te bar. 'Het is wel je dochter, Sandrien. Het kind hunkert naar liefde.'
Beiden begrijpen dat dit gesprek niet per telefoon gevoerd kan worden.
Sandrien bindt in. 'Breng jij haar maar thuis wanneer je denkt dat het het geschikte moment is. Sterkte.' Met die woorden verbreekt ze de verbinding.
Annerieke staart naar de telefoon. Wat nu?
Yalda komt opgefrist de trap af. 'Ik ben weggelopen. Dat gehuichel van mams kan ik niet verdragen. Ze heeft me zeker lekker zwart gemaakt. Enfin, je kent haar. Weet je dat ze dit huis willen verkopen? Pa en ma hebben geldhonger. Pa wil een boot kopen, ma wil een eigen wagentje... Wie zal het winnen?' Ze omhelst Annerieke alsof ze dikke vriendinnen zijn, en er geen boos woord is gevallen.
'We moeten praten, Yalda. Maar dan moet je rustig blijven en niet alles eruitgooien wat er in je opkomt. Van mij mag je best

een tijdje hier logeren. Maar dan maken we wel afspraken. En die zijn er om je aan te houden. Want geloof me, met mij valt ook niet te spotten.'
Yalda gluurt vanonder haar wimpers naar Annerieke. 'Zeker weten dat jij anders bent dan mams en paps. Je zult geen last van me hebben.'

Zowel Dick als Sandrien is verbaasd dat hun dochter tijdelijk bij Annerieke wil wonen.
'Ze heeft zeker met Annerieke te doen omdat ze nu alleen in dat huis woont,' veronderstelt Dick goedig.
Sandrien denkt toch beter te weten. 'Ons lieve dochtertje is aan het puberen, Dick. Ik denk dat ze een zwaar geval is.'
Ze zijn het erover eens dat een logeerpartij bij haar jongste tante weleens goed zou kunnen zijn voor het meisje.
Annerieke krijgt een portie regels op het hart gedrukt. Yalda moet gecontroleerd worden, ze liegt zo gemakkelijk dat het bijna een gewoonte is geworden. Ze moet dit, ze moet dat.
Het duizelt Annerieke. 'Hoor eens, als er zo veel bij komt kijken, zie ik er liever van af.'
Nee, nee, dat is niet de bedoeling.
Zo komt het dat Annerieke diezelfde dag nog een huisgenootje heeft. De eerste dagen merkt ze weinig van haar gast. Maar dan komt ze erachter dat Yalda spijbelt en met vriendinnen naar het centrum gaat om hun eigen gang te gaan.
'Dat is afgelopen, en anders ga je maar weer naar huis. Je weet wat we hebben afgesproken.'
Na een heftige woordenwisseling gaat het weer even goed, maar Annerieke blijft haar nichtje wantrouwen. Ze helpt haar met scripties, overhoort de lessen en doet haar best om zich in het leven van een puber te verplaatsen. Op haar manier verwent ze het meisje met meer dan een beetje aandacht. Samen naar de stad, kleding kijken, afkeuren en zelden kopen, ijs eten.

Gelukkig komt Yalda nooit meer terug op de beschuldigingen die ze aan het adres van haar ouders en de andere familieleden heeft geuit.
Dat doet Annerieke hopen dat het allemaal verzinsels waren. Ze doet haar uiterste best het meisje te laten voelen dat ze gewaardeerd wordt om wie ze is. Ze is er intensief mee bezig. Zozeer zelfs dat ze vergeet dat er een dreigement als een zware wolk boven haar hoofd hangt.

3

OP DE VERJAARDAG VAN DICK BARST DE BOM. Samen met Annerieke laat Yalda zich op haar vaders verjaardag zien. Ze gedraagt zich als gast, laat zich bedienen, en wanneer Sandrien Yalda's hulp inroept, reageert ze boos. 'Sinds wanneer moet visite in de keuken helpen?'
Wanneer de gasten vertrokken zijn, en alleen de broers met hun vrouwen plus Annerieke en Yalda over zijn, boort Dick het onderwerp 'ouderlijk huis' aan.
Sandrien heeft iedereen voorzien van een glaasje wijn en een schaaltje nootjes.
Yalda is naar boven om haar zomerse kleding uit de kast te halen met het oog op de positieve weersverwachting.
'Nu we bij elkaar zijn, moeten we spijkers met koppen slaan, mensen. Sandrien en ik vinden dat we Annerieke genoeg tijd hebben gegeven om aan de nieuwe situatie zonder pa te kunnen wennen. Zo is het toch?' Hij nipt van zijn wijn en kijkt de kleine kring rond. 'De waarde van het huis is gestegen, heb ik me laten vertellen. Ik heb een makelaar ingeschakeld, en met hem kom ik binnenkort bij je, Annerieke. Ondertussen krijg jij de tijd om een baan te zoeken. Eigenlijk had ik verwacht dat je daar meteen na de begrafenis mee zou beginnen. Maar ja, je ging liever op vakantie.'
Esther protesteert. 'Kom, zwagertje, dat meisje was volkomen dolgedraaid. Dat weet je best. Petje af voor wat zij voor pa heeft gedaan.'
Dick merkt schamper op dat pa dit niet in een testament heeft gehonoreerd. 'Annerieke krijgt wat haar toekomt: een derde deel. Een kindsdeel heet dat, geloof ik. Ze had ook kunnen bedanken voor de eer om pa tot het einde toe te helpen.'
Annerieke voelt haar keel dik worden, maar is niet in staat voor zichzelf op te komen.

Esther gaat rechtop zitten. 'Schaam je, Dick. Dat jij voor die eer hebt bedankt, blijkt hier wel uit.'
Dick verdedigt zich. Hij heeft een baan die veel verantwoordelijkheid met zich meebrengt. En hij is aan het werk gegaan. 'Annerieke bleef thuis plakken en teerde op de zak van vader.'
Sandrien knikt. Ze is het met Dick eens.
'En mamma dan?' zegt Annerieke met schorre stem. Ze weten toch allemaal hoe het zover is gekomen?
Dick blijft volhouden dat niet kiezen voor een eigen leven ook een vorm van kiezen is.
Esther schuift haar nog volle wijnglas naar haar man. Ze kijkt Sandrien aan en legt een hand op haar buik, terwijl ze haar hoofd schudt.
'Sorry, even vergeten. Zal ik wat fris halen?'
Esther bedankt en gaat staan.
'Best dat het huis verkocht wordt, mensen. Maar niet voordat Annerieke haar leven op de rails heeft. Ik stel voor dat we over een paar weken, wanneer Wieger jarig is, verder praten. Annerieke moet zich niet opgejaagd voelen.'
Op dat moment komt Yalda de kamer in, met in haar hand een overvolle weekendtas. 'Pa heeft haast. Hij wil geld zien om zijn bootje te kunnen kopen. Is het niet, pappie?'
Dick verschiet van kleur en gebiedt het meisje zich erbuiten te houden.
Annerieke stond, voor de discussie losbarstte, op het punt aan te bieden te helpen met het opruimen van de keuken. Nu wil ze nog maar één ding: naar huis. Ze krijgt het nauwelijks voor elkaar behoorlijk afscheid te nemen, en terwijl ze de autosleutels uit haar jaszak pakt, haalt haar oudste broer nog een keer uit. 'De auto van pa...'
Esther komt tussenbeide. 'Zo is het genoeg, zwager. Jullie hebben pas een nieuwe wagen, en die van ons is een halfjaar oud. Mag Annerieke alsjeblieft ook eigen vervoer hebben?'
Dick bindt in. 'We moeten binnenkort toch weer samenko-

men, en dan thuis, ik bedoel bij Annerieke of bij Wieger wanneer hij jarig is. Er zijn waardevolle dingen die we moeten verdelen. Pa's postzegelverzameling, de zilveren theelepeltjes die mamma heeft verzameld en niet te vergeten het schilderij waarvan we niet weten of het echt is.'
Esther duwt hem aan de kant. 'Dan mag jij voor ons naar 'Tussen kunst en kitsch'.'
Annerieke vlucht het huis uit. Voor het eerst in haar leven is ze bang voor wat de toekomst zal brengen.

Yalda gedraagt zich een paar dagen voorbeeldig. Annerieke 'mag' haar met huiswerk helpen. Maar van het ene moment op het andere komen de lelijke verhalen weer los. Pa die zijn handen niet thuis kan houden. 'Als er een feestje is vooral. Dan zijn mams vriendinnen niet veilig. Hij zit aan ze, als mams niet kijkt. Knijpen en zo. Ik moet ook vaak voor hem op de vlucht.'
Annerieke gelooft er aanvankelijk niets van en neemt zich voor haar broer en schoonzus erop aan te spreken dat Yalda hun goede naam bezoedelt. Moedeloosheid neemt bezit van Annerieke. Ten eerste de rouw om het verlies van haar vader. Dan de dreiging dat het huis verkocht moet worden, en zij moet zien haar leven een andere wending te geven. Het is schrikken wanneer ze met een tas vol boodschappen de keuken binnenstapt en daar tante Bette ziet zitten, huilend aan de keukentafel.
'Neem me niet kwalijk. Ik heb netjes gebeld, kind. Maar zoals je weet, heb ik nog een sleutel.' Bettes gezicht is rood en opgezwollen. In haar hand klemt ze een opgepropte zakdoek.
Annerieke zet de boodschappentas met inhoud op de grond en legt haar handen op de schouders van haar tante. 'Laat me raden. Zijn het de kinderen?'
Bette snikt nu luid. Ze knikt en is bijna niet te verstaan. 'Ze boycotten me. En waarom? Omdat ze elkaar leugens over mij vertellen. Ze houden de kinderen bij Max en mij vandaan. Dat

is nog het ergste. Max heeft zijn werk, maar ik zit hele dagen thuis. Hoe moet zoiets ooit weer goed komen?'
Annerieke haalt een glas water voor haar tante, en met de punt van een natgemaakte handdoek wast ze liefdevol haar gezicht. 'Ik weet, lieve tante Bette, dat jullie niet de enigen zijn die zoiets doormaken. Het lijkt wel een trend. Ik heb het geregeld in de damesbladen gelezen, en ook in de winkels vang je weleens zoiets op. Het zijn veertigers, en ik zag laatst op de televisie dat het een leeftijd is waarin teruggekeken wordt naar de jeugd. Ik denk dat ze zelf niet lekker in hun vel zitten, en dat reageren ze dan af op de ouders, zei de presentator.'
Bette snuift en snuit in de handdoek. 'Zoiets zou jij nooit doen, meisje. Jij hebt je ouders ontzien. Ik was dol op mijn broer, maar een gemakkelijk man en vader was hij niet.'
Annerieke protesteert. 'Mensen kun je niet met elkaar vergelijken. Hebt u zin in een bakje troost? Ik heb een nieuw merk koffie gekocht. Mokka-achtig.'
Bette knikt moedeloos. Geleidelijk aan kalmeert ze.
'Ieder huisje heeft zijn kruisje, tante.'
Opeens schiet tante Bette rechtop. 'Zeg dat wel. Die arme zus van mij, Theodosia, je wilt het niet geloven, maar ze is door die Titus en zijn vriendin op straat gezet.'
Annerieke laat de koffiekan bijna uit haar handen vallen.
'Dat meent u niet. Heeft Titus een vriendin? Wacht eens...'
Automatisch verrichten haar handen het werk. Koffie in de filter, water in het reservoir. 'Toch niet dat mens, die freule? Hoe heet ze ook weer?'
Bette knikt. 'Die is het. Van Swinkel. Ze heeft een soort kasteeltje met een groot stuk bos eromheen.' Bette vertelt hoe het is gegaan. Of Theodosia even in de bibliotheek wilde komen. Ze zaten samen op de bank, Titus en freule Annette. Hand in hand. Ze hadden groot nieuws te vertellen: trouwplannen.
Annerieke ziet het voor zich. 'Arme tante Theodosia.'
'En aan het eind van de redevoering zei madam: 'Je begrijpt

wel dat je moet uitzien naar ander werk. Want twee kapiteins op een schip, dat gaat niet. We willen hier gaan wonen, want mijn landhuis wordt verkocht aan een projectontwikkelaar die er een hotel van wil maken.'
Annerieke rukt een paar mokken uit de kast en zet ze hardhandig op tafel. 'Arme tante. Waar moet ze heen?'
Bette zegt dat Max het niet ziet zitten iemand in huis te nemen. 'We wonen ook niet groot. Voor even zou het wel gaan. Bovendien heeft mijn zus nogal wat hobby's. Ze kan bij ons niet uit de voeten. Ik heb die lieve broertjes van je gebeld, en wat dacht je? Voor tante is er geen plaats. Enfin, zo kwam ik op een idee.'
De koffie pruttelt, en even later schenkt Annerieke de mokken vol. 'Ik denk dat...'
Bette knikt heftig. 'Dat dacht ik ook. Twee zielen, één gedachte. Ze kan het best – tijdelijk – bij jou intrekken. Jullie kunnen het samen toch goed vinden?'
Annerieke knikt. 'Natuurlijk. Ze is er voor je wanneer je iets hebt, altijd al. Schande, haar na zo veel jaren trouwe dienst op die manier haar congé te geven. Bovendien dacht ik altijd dat er iets was tussen Titus en haar.'
Bette knikt. 'Daar laat mijn zus zich nooit over uit. Maar ik heb er zo mijn eigen gedachten over. Als dat waar is, komt het des te harder aan. Ik weet zeker dat ze hoopte dat het tot trouwen zou komen. Niet dus. Arme meid.' Bette windt zich op over de situatie en vergeet even haar eigen verdriet.
'Maar mijn broers willen het huis zo snel mogelijk verkopen, tante Bette. En dan sta ik ook op straat.'
Bette drinkt gulzig haar koffiemok leeg. 'Liefde, daar ontbreekt het de mensheid aan. Niemand is vergevensgezind. Mensen zijn bang een ander te helpen, omdat ze misschien verplichtingen krijgen. In de Bijbel staat zwart op wit dat er in het laatste der dagen geen liefde meer zal zijn. Nou, het begint er aardig op te lijken.'

Annerieke knikt. Ze ondervindt zelf de laatste tijd ook weinig liefde. 'Het kan allemaal zo anders. Mijn broers zeuren over de kostbaarheden in dit huis. Ze mogen van mij alles hebben.'
Ze vervallen in zwijgen, maar er hangt een ontmoedigende sfeer in de keuken.
'Wat zou tante Theodosia zelf het liefst willen? Ik denk ten eerste: zo snel mogelijk weg daar. En dan op haar gemak onderdak zoeken. Ze wil vast niet graag lang ergens te gast zijn. Wat heeft ze vroeger, voordat ze bij Titus kwam, eigenlijk voor werk gedaan?'
Bette soms een reeks banen op: receptiewerk, demonstraties geven op beurzen... Ze heeft zelfs als gastvrouw gewerkt op treinen, Parijs - Amsterdam. 'Op één van die reizen ontmoette ze Titus. Die was nog getrouwd en zat verlegen om hulp voor zijn zieke vrouw. Zo is ze daar terechtgekomen.'
Buiten wordt een fiets tegen de muur van de schuur gesmeten. Bette schrikt ervan op.
Haastig geeft Annerieke uitleg. 'Yalda logeert momenteel hier. Ze heeft het thuis moeilijk. Lastige leeftijd.'
Bette neemt het meisje dat met een nors gezicht binnenstapt, van top tot teen op.
'Jullie zitten zeker over mij te kletsen,' veronderstelt ze.
'Ook goedemorgen,' zegt Bette op scherpe toon. 'Hebben je ouders je geen manieren geleerd, kind?'
Yalda mikt haar rugzak onder te keukentafel en trekt de koelkast open, op zoek naar een blikje cola.
'In de boodschappentas. Ik heb de boodschappen nog niet uitgepakt,' zegt Annerieke.
Yalda rimpelt haar voorhoofd. 'Bah, lauwe cola. Ik neem wel melk.' Zonder een woord te zeggen verdwijnt ze met een glas melk naar de kamer.
Even later schalt het geluid van de televisie door het huis.
'Lastige leeftijd? Dat kind is ongemanierd. Hebben ze jou met haar opgescheept?'

Annerieke wil niet meteen vertellen wat Yalda haar allemaal heeft verteld, want ze wantrouwt nog steeds wat het meisje heeft gezegd. 'Tijdelijk. Enfin, als tante Theodosia hier ook intrekt, zal het wel veranderen. Eerlijk gezegd heb ik geen enkele invloed op haar. Bij wijze van spreken zou ze onder mijn ogen drugs kunnen gebruiken. Tante Bette, niet alleen uw zus moet op zoek naar werk. Ik ook. Ik kan hier niet blijven wonen. Ik heb geen rooie duit. Weet u dat ik nooit buiten de deur heb gewerkt? Mamma verplegen leek ook een tijdelijke bezigheid, maar mamma werd niet beter. En vlak na haar werd pa zo ziek. Enfin, u kent het verhaal. Misschien moet ik een of andere studie gaan volgen.'
Bette schudt haar hoofd en schuift haar lege mok naar Annerieke toe.
Die staat op om hun beiden nog eens in te schenken.
'We moeten meer op God vertrouwen. Ikzelf net zo goed, juist in tijden van beproeving. Dat geeft rust.'
Annerieke zucht en knikt. 'Weet ik toch wel. Maar wat is vertrouwen? Dat alles komt zoals ik het graag wil? Maar wat als God andere plannen met me heeft. En hoe kom ik daarachter?'
Bette zou wensen dat ze meer te geven had. Aarzelend zegt ze: 'Ik denk weleens: als er iets gebeurt waardoor je met de rug tegen de muur komt te staan, als er een deur wordt gesloten, opent de Heer wel een raam voor ons, of een tot nu toe verborgen deur. Er is altijd een uitweg, al is het soms niet meer dan een smalle steeg of een paadje.' Ze legt een hand op die van Annerieke. 'Jij bent een lieve meid. Laat je niet ringeloren door je familie. Jij hebt ook je rechten. Ik wed dat, als je een advocaat inschakelt, hij het voor elkaar zou kunnen krijgen dat je achterstallig salaris krijgt, opbrengst uit de verkoop van het huis. Denk daar maar eens over na.' Ze staat op, veegt met de rug van een hand langs haar mond. 'Ik zie er zeker niet uit?'
In haar handtas grabbelt ze naar een tissue en lippenstift.
Wanneer ze naar de gang loopt om daar voor de spiegel haar

uiterlijk te fatsoeneren, volgt Annerieke haar op de voet. 'Wat doen we? Belt u tante Theodosia om te vertellen dat ze hier welkom is? Ik heb zo met haar te doen. Ze had daar een functie. Huisdame, het mocht wat. Ze was gewoon de vrouw des huizes. Ik heb het zelf meegemaakt.'
Bette knikt. 'Alle kerels zijn niet zo als mijn Max.'
Annerieke omhelst haar tante. 'Gelukkig dat u hem hebt. Hij steunt u toch, als het om de kinderen gaat?'
Bette trekt haar jas aan. 'Kinderen. Zeg dat wel. Ze gedragen zich als kleine kinderen. Maar wat heb ik daaraan? Ze zetten me als oud vuil op de stoep, naast de container.'
Annerieke kijkt haar tante na terwijl deze de straat uit fietst. Op de hoek steekt Bette een arm in de lucht als groet, en in één vloeiende beweging wijst ze naar rechts om de richting aan te geven.
Annerieke sukkelt de tuin in. Het televisiekabaal is zelfs buiten te horen. Bonkende bassen laten de ruiten trillen. Vogels vliegen met takjes rakelings langs haar heen, en tot haar verbazing bloeit er van alles en nog wat in de verwaarloosde tuin. Anemonen, roze plantjes waarvan ze de naam niet kent.
Opeens is het stil.
Yalda tikt tegen het raam en houdt de telefoon omhoog.
Terwijl Annerieke zich naar binnen haast, neemt ze zich voor niet verder dan één dag vooruit te kijken.

Theodosia hoeft niet lang na te denken over het aanbod dat Annerieke haar telefonisch doet. 'Ik weet niet wat ik zeggen moet. Je aanbod komt als uit de hemel gezonden. Ik wil maar één ding: zo spoedig mogelijk hier weg. Veel wil ik er niet over kwijt, maar ik voel me afgedankt.'
Dat doet Annerieke denken: zo vergaat het tante Bette ook. 'Ik maak meteen de grote slaapkamer boven voor u in orde, tante Theodosia. Kasten ruimen, schoonmaken, poetsen, gordijnen wassen. Ik begin er meteen aan.'

Wanneer de verbinding verbroken is, formuleert Annerieke in gedachten de zinnen die ze tegen haar andere logee zal zeggen. Waarschijnlijk zint het Yalda niet dat er een huisgenote bij komt. Dat is dan jammer voor haar. Mocht het het meisje niet bevallen, dan kan ze altijd naar huis terug.

4

THEODOSIA HEEFT HAAR WAGEN VAN ONDER TOT boven volgepropt met kleding en eigendommen. Ze kan er zelf amper nog bij. Met een bezwaard hart rijdt ze naar het huis waar ze is geboren en getogen.
De jarendertigwoningen zijn in trek. Zodra er één te koop komt te staan, wordt het bord al snel vervangen door een bord met 'verkocht' erop. De tuinen zijn ruim, zowel voor als achter.
Theodosia herinnert zich nog als de dag van gisteren dat haar vader een beuk plantte, opzij in de voortuin. 'Boompje groot, plantertje dood,' schimpte haar moeder. Ondanks zichzelf glimlacht Theodosia. In dit geval had moeder het mis: vader heeft de boom groot en sterk zien worden.
Het huis is met riet gedekt. Dat was altijd een zorg. Want riet is o zo brand gevaarlijk. Nog maar een paar jaar terug heeft haar broer Kees, de vader van Annerieke, het laten vernieuwen. De punt van de voorgevel is met hout betimmerd. Zo te zien zit de beits er nog goed op.
Theodosia stopt vlak voor het huis. Ze werpt meteen een blik op de tuin. Wel, ze zal zich niet hoeven te vervelen. Haar handen jeuken wanneer ze naar het onkruid kijkt.
Vroeger was de tuin afgescheiden van de straat door een hekje van ijzer en gaas om het grondstuk. Dat is ooit vervangen door een charmant en laag hekwerkje van smalle latten.
Theodosia haalt diep adem en stapt dan uit de wagen. Het is goed te weten dat ze ergens welkom is. En wie weet kan ze iets betekenen voor Annerieke.

Yalda is inderdaad ontstemd over de komst van de nieuwe medebewoonster. 'Je laat over je lopen, Annerieke. Weg vrijheid. Zo'n mens van de vorige generatie zit natuurlijk vol kri-

tiek, en voordat je het weet, heeft ze hier het heft in handen. Nou, dan ben ik weg.'
Annerieke verwelkomt haar tante met vreugde. 'Eerst lekker koffiedrinken en daarna help ik u de auto uitladen,' bedingt ze na de begroeting.
Theodosia omarmt haar nichtje. 'Kind, ik weet niet wat ik moet zeggen. Of toch wel. Ik heb onderweg bedacht dat het uit moet zijn met dat 'ge-u'. En ik wil ook dat je me Thea noemt. Dat praat wat makkelijker. Oefen maar terwijl je de koffie haalt.'
Annerieke loopt glimlachend naar de keuken. 'Thea' en 'jij'. Waarom niet? Het is ook zo'n mond vol, 'tante Theodosia'. Wanneer ze een kopje op tafel zet, zegt ze met ingehouden lach: 'Dit is voor jou, Thea. Ik hoop dat je van tompoucen houdt. Ze waren in de aanbieding.'
Thea nestelt zich in de stoel die vroeger van haar broer was. Het is een breed exemplaar met hoofdsteunen opzij van de rugleuning. 'Heerlijk. Ik snak naar koffie.' Na een paar slokken kijkt ze Annerieke aan. 'Weet je dat ik me schaam over de manier waarop ik behandeld ben. Ik wil er niet veel over kwijt, kind. Maar het was bijzonder pijnlijk en vernederend. Ik wil het achter me laten. En nu ben ik misschien jou tot last.'
Annerieke zet haar kopje met een klap op het schoteltje. Dat mag Thea niet denken. 'Ik ben blij met uw, met jouw gezelschap. Ik ben eerlijk als ik zeg dat ik het beter met je kan vinden dan met mijn eigen moeder, destijds. Echt, je mag van mij zo lang blijven als mogelijk is.' Maar ze kan niet anders dan de trieste waarheid vertellen. 'Mijn broers willen geld zien, en dus het huis zo snel mogelijk verkopen.'
Thea had al wel zoiets gedacht. 'Het is een huis om van te houden. En als het verkocht moet worden, doet dat Bette en mij pijn. Is de zaak al aangekaart?'
'Dankzij Esther is het nog niet zover. Ze vindt dat ik eerst plannen moet maken, wat die ook mogen zijn. Misschien

helpt het dat jij hier nu logeert. Er is maar één vervelend punt: Yalda verblijft hier momenteel. En dat valt niet altijd mee. Ze pubert en zit vol rare verhalen.' Annerieke wil niet meteen met de beschuldigingen komen aanzetten. Ze moet er eerst achter zien te komen wat er van waar is. Maar ja, zegt het spreekwoord niet: waar rook is, is vuur? Wanneer de koffiepot leeg is, staat Annerieke als eerste op. 'Zullen we dan maar? Alle kasten in de kamer boven zijn leeg. Ik denk dat je je spulletjes met gemak kwijt kunt.' Maar zodra ze de uitpuilende auto ziet, weet ze dat nog zo net niet.
De zakken met kleding wil Thea als eerste boven hebben. Ze heeft een garderobe om u tegen te zeggen.
Annerieke besluit dat Thea ook de beschikking krijgt over de grote kast in de gang.
'Ach, hier sliepen mijn ouders vroeger. En als ik ziek was, mocht in bij hen in bed slapen. Bette was nooit ziek, maar één keer simuleerde ze zo knap dat ze twee nachten in het grote bed mocht. Moeder was woest. Ze had zich voor niets bezorgd gemaakt, slecht geslapen vanwege het ruimtegebrek en het feit dat ze door Bette gefopt was.'
Terwijl Thea herhaaldelijk van beneden naar boven sjouwt met spullen, haalt Annerieke de gangkast leeg. Ze komt van alles en nog wat tegen dat al lang niet meer gebruikt wordt. Ze vult plastic zakken met wat weg kan. Andere dingen propt ze in een grote doos om later uit te zoeken.
Thea heeft zelfs een karpet meegebracht. 'Het is nog vrij nieuw. Toen ik het zag, was ik meteen verliefd. Dat blauw doet het hem. Zo mooi in combinatie met dat donkere geel en bruinrood.'
Ze slepen het kleed met veel moeite naar boven.
Zodra het is uitgerold op het laminaat, kan Annerieke niet anders dan erkennen dat de kleuren prachtig zijn.
'En mijn sprei past er precies bij.'
Wanneer de auto is uitgeladen, verbaast Annerieke zich erover

dat alles erin heeft gepast. Terwijl Thea rondscharrelt en dingen plaatst en weer verzet, loopt Annerieke naar beneden om de lunch voor te bereiden. De reden van de logeerpartij mag dan verdrietig zijn, ze ervaart de aanwezigheid van haar tante als een welkome afleiding.
De tafel is nog maar net gedekt wanneer Yalda de keuken binnenvalt. 'Ze is er al, zag ik. Wat een onmogelijke naam heeft dat mens. Theodo...'
Bedaard zegt Thea, die hen overvalt: 'Jij mag ook Thea tegen me zeggen. En jij. Dat is toch gewoon tegenwoordig, je ouders, schoonouders en weet ik wie nog meer bij de naam noemen? Hoe is dat bij jou op school?'
Yalda is rood geworden. Ze praatte nu niet bepaald op een aardige toon over haar oudtante. 'O, gewoon. Sommige leraren vinden het goed dat we ze bij de voornaam noemen. Het is gezelliger, en we mailen ook weleens met ze, in geval van nood. Best gemakkelijk.'
Thea steekt een hand uit en houdt het smalle pootje van Yalda even stevig vast. 'Leuk je beter te leren kennen, Yalda. Ik ben beslist niet op de hoogte van de manier waarop jullie jeugd leeft. Over vroeger kan ik uren praten, maar wat zou jij je vervelen. Onze jeugd vind jij vast en zeker zo saai als wat.'
Yalda schokschoudert. 'Misschien wel handig wanneer ik een scriptie over de Tweede Wereldoorlog of zo moet maken.'
Thea lacht haar uit. 'Hoe oud denk je dat ik ben? Kind, ik ben een naoorlogs product. Maar dankzij mijn ouders weet ik nog wel iets over die tijd te vertellen. Want nog jaren na de bevrijding is de oorlog geregeld onderwerp van gesprek.'
Annerieke schuift gebakken eieren op de klaarstaande borden en denkt: misschien valt de combinatie van Thea en Yalda nog wel mee.

En dan wordt het Pasen.
Thea brengt van de markt armen vol bloemen mee. Gele nar-

cissen, takken forsythia, roze en blauwe hyacinten en gemengde boeketten. Ze schudt chocolade eitjes op een schaaltje uit en schuift een cd in de speler waarop de Matthäuspassion geweldig wordt vertolkt. Ze neuriet de bekende melodieën mee.
Yalda zet grote ogen op wanneer ze de kamer binnenstapt, de handen voor beide oren. 'Moet dat?' roept ze verontwaardigd. 'Het lijkt hier wel een kerk of zoiets, een crematorium.'
Ze duikt op de cd-speler af en tempert het geluid.
Thea zet haar handen strijdlustig in haar zijden. 'Nu moet jij eens luisteren, dame. Deze muziek is heel wat hoogstaander dan de troep waarmee jij je oren vervuilt. En probeer – ik zeg: probeer – de tekst te verstaan. Het gaat wel over onze Heiland, degene die ook voor jou is gestorven. En als je mocht denken: ik ben de kwaadste nog niet, weet dan dat we in de heilige ogen van God zonder de inspraak van zijn Zoon, niets en niets zijn.'
Yalda heeft er een hekel aan als iemand op deze manier tegen haar spreekt. Ze maakt rechtsomkeert en dendert de trap op.
Wanneer Annerieke thuiskomt, vindt ze een tevreden Thea, die van haar thee met paaseitjes genietend in een stoel zit, de ogen gesloten om zich nog beter op de muziek te kunnen concentreren.
Annerieke moet even slikken. Zomaar in haar eigen woonkamer een verheven sfeer. Rust, muziek. En ook nog eens bloemen, waar je ook kijkt.
Thea opent haar ogen en kijkt Annerieke glimlachend aan. 'Thee?' informeert ze.
Annerieke knikt. Heerlijk zo begroet te worden. Voor een ander is het misschien gewoon, maar zij ervaart het als speciaal.
'Had je Yalda net moeten zien en horen. Het kind is verontwaardigd naar boven gerend. Ze kan de muziek niet waarderen. Ze weet niet eens wat die betekent.'
Annerieke vindt dat Thea het goed doet, wat Yalda betreft. 'Ze

zal toch ooit weer naar huis moeten. Alleen hoop ik dat ze veilig is, Thea.'
Thea schudt haar hoofd. Dat moet Annerieke duidelijker uitleggen.
Met veel moeite laat Annerieke een paar details los van datgene wat Yalda haar heeft verteld.
Thea schudt haar hoofd. 'En jij gelooft dat? Kom, dat kind spoort niet. Als ik jou was, zou ik gauw met je broers gaan praten, voordat ze die verzinsels de wereld in helpt. Ze mag wel oppassen. Straks wordt ze nog overgeplaatst naar een of ander tehuis.'
Annerieke heeft tranen in de ogen. 'Zou je denken? Ik vond het ook al zo ongeloofwaardig. Maar toch... Je hoort weleens van dat soort dingen, en dan betreft het soms ook mensen van wie je het totaal niet verwacht.'
'Zwangere Esther die een baby van een ander dan Wieger zou verwachten... Dick die zou haar bestasten en meer... Het is niet normaal, Annerieke, dat een meisje zo spreekt. Zelfs niet over haar pleegouders. Je moet hen met haar verhalen confronteren, en dan moeten ze zelf maar zien wat ze ermee doen. Voordat je het weet, zijn de namen van je broers besmeurd met modder.'
Annerieke knikt. Daar heeft ze nog niet zo over nagedacht.
'We zien de familie toch met Pasen? Dat was vroeger tenminste zo. Op zulke dagen zocht men de familie eens op. Of is dat tegenwoordig ook al anders? Als ik aan mijn zus denk, arme Bette... Die hoeft niet te rekenen op visite van haar kinderen. Als mensen geen problemen hebben, maken ze die zelf wel. Ten koste van een ander.' Thea zet de muziek nog wat zachter, zodat ze elkaar beter kunnen verstaan.
'Ik weet niet wat de jongens willen. Ik wacht wel af, Thea. Of zou jij het leuk vinden als ik iedereen uitnodigde? Dat betekent wel een koelkast vol eten. Ik kan ze niet afschepen met een kopje koffie met een koekje.'

Thea zegt dat ze samen vier handen hebben, en dat de catering geen probleem hoeft te zijn. 'Samen naar de kerk, koffiedrinken met een paasachtige taart, geen grote maaltijd, maar een lunch, gekookte eieren natuurlijk...'
Annerieke schudt haar hoofd. 'Het begint al met de kerk. Ze gaan naar verschillende kerken en zijn het nooit eens met wat er gepreekt wordt. Voordat je het weet, hebben ze ruzie.'
Thea schudt haar hoofd. 'Ik begrijp de jonge mensen van tegenwoordig niet. Is het nou zo erg eens naar een andere kerk dan die van jou te gaan? Waar gaat het om met Pasen? De opstanding van de Heer. Ik zal zien of ik hen bij elkaar kan krijgen. Laat het maar aan mij over.'

Wat Annerieke niet voor elkaar krijgt, lukt Thea wonderwel goed. Samen naar een dienst, koffiedrinken en lunchen. Als het weer meezit, kan er gewandeld worden. Thea's klassieke programma...
Samen doen ze de dag voor Pasen boodschappen, en zowaar, de koelkast is groot genoeg voor dat wat gekoeld moet worden.
Thea sleept Yalda mee naar de keuken om te helpen met het bakken van broodjes. 'Paashaasjes. Best te doen. Vroeger liepen wij met Palmpasen met een versierde palmpaasstok op straat. In de vorm van een kruis, een broodhaantje erbovenop en eromheen een krans van buxustakjes. Natuurlijk eitjes aan een draadje en wat vrolijke linten van crêpepapier. Wat waren we trots wanneer we in een optocht door de straten gingen. En maar zingen: Palm-, Palmpasen, ei koerei, één ei is geen ei, twee ei is een half ei, drie ei is een paasei.'
Yalda schudt haar hoofd. Dat gebruik kent ze niet.
Thea lacht bij de herinneringen. 'Sommigen hadden zo'n trek dat hun broodhaantje al snel geen kop en staart meer had. Liepen ze daar met een stompje brood op een stokje. En de maandag erna renden de jongens met hun kale palmpaasstok door

de straat en zaten ze elkaar na, speelden ze riddertje, met de stokken als zwaarden.' Thea probeert het meisje aan het praten te krijgen, maar dat mislukt.

De volgende ochtend treft de familie elkaar bij de kerk waar ze als klein kind gedoopt zijn. Nog voor de dienst praten de broers over hun eigen diensten, die ze helaas moeten missen. De schoonzusters kijken elkaar hoofdschuddend aan.
'Hoe het ook zij, we hebben hen bij elkaar. Misschien komt Bette ook nog met Max. Misschien zijn hun kinderen vanwege Pasen, dat toch een feest is, milder gestemd en vergevensgezind.'
Tevergeefse hoop, zo blijkt al snel. Bette loopt met een verdrietig gezicht de kerk in, schuift naast haar zus in de bank en knikt naar de familie.
Max steekt een hand op.
Heel even knijpt Thea in een bemoedigend gebaar in de hand van haar zus. Ze fluisteren wat. Dan begint de dienst.

Terwijl de familie in de kamer over de preek discussieert, draven Thea en Annerieke van en naar de keuken om iedereen van koffie en taart te voorzien. De tafel voor de lunch is meteen na het ontbijt klaargemaakt. Een nieuw knalgeel kleed springt in het oog. Naast ieder bord ligt een vrolijk servet. Midden tussen de potten met marmelade en nog lege schaaltjes prijkt een boeket gemengde bloemen.
Yalda is met koffie en taart naar boven geslopen.
Zodra Thea dat ontdekt, roept ze het meisje terug naar beneden. 'Zo gaan we niet met elkaar om. We hebben iets te vieren. Bovendien kunnen we je hulp zo dadelijk goed gebruiken, dame.'
Esther vertrouwt Sandrien en Annerieke van alles toe over haar toestand. Nee, ze is bijna nooit meer misselijk. Maar sommige dingen kan ze absoluut niet eten. En ze is momen-

teel verslaafd aan groene appels. 'Granny Smith. Ik kan ze bijna niet aanslepen. Laatst is Wieger na sluitingstijd achterom bij de groenteboer geweest om een kilo te halen. Ja, die mannen hebben makkelijk lachen en praten. Wieger beweert dat ik een kind krijg met een groen velletje.'
Yalda luistert mee, haar gezicht verwrongen. Zie je nou wel dat het allemaal anders is als je bij je eigen moeder geboren wordt. Zoals tante Esther over die baby praat, spreekt mams nooit over mij. En opnieuw neemt ze de benen.
'Laat haar maar even,' vindt Thea.
Annerieke knikt en zegt dat het meisje het moeilijk heeft met zichzelf. 'Hoe moeilijk? Nou ja, ze heeft het weleens over weglopen en dat soort dingen.'
Esther kijkt verschrikt naar haar schoonzus. 'Sandrien, weet jij dat wel?'
Sandrien verschikt met beide handen haar gebleekte, korte kapsel. Ze knikt. 'Dat doet ze bij vlagen. Om ons te dwingen haar haar zin te geven in plaats van die van ons te laten gelden. Het is een lieve meid, maar ja, ze heeft tegenwoordig kuren die ik niet kan volgen. Vandaar dat we het goedvinden dat ze een paar weekjes bij Annerieke is.'
Annerieke kijkt onzeker naar Thea. Dit is toch niet het moment om over de 'verzinsels' van Yalda te beginnen?
Thea schudt bijna onmerkbaar haar hoofd. 'Laten we aan de lunch beginnen, Annerieke. Steek jij het gas aan onder de pan soep?'
Het wordt zowaar een lunch zoals Thea die in gedachten had. Zelfs Bette fleurt ervan op.
En wanneer het dessert – ijs met aardbeien en slagroom – op is, neemt Thea het woord. 'Heb je de familiebijbel bij de hand, Annerieke? Ik wil graag dat Max ons het paasevangelie voorleest. Die man heeft zo'n mooie, donkere stem.'
Annerieke staat op en laat haar ogen langs de ruggen van de boeken in de kast gaan. Jawel, de Bijbel die nog van haar opa en

oma is geweest. 'Die bedoel ik. Alsjeblieft, Max. Wij luisteren.'
Max schraapt zijn keel. Bij Bette en hem is het niet meer de gewoonte na de maaltijd de Bijbel te pakken.
Hij bladert en zegt dan wat onzeker: 'Johannes. Johannes twintig. Op zondagmorgen, de dag na de sabat...'
Annerieke luistert ontroerd. Opstanding. Dit te horen in de kamer waar na elkaar haar beide ouders zijn overleden. Nee, de dood is niet het einde. Wat een troost. God heeft een plan, een veel beter plan met de zijnen dan ze zelf ooit zouden kunnen bedenken. Voor het eerst sinds de dood van haar vader kan Annerieke hem loslaten. Ja, vader is verlost.
Als Max de Bijbel sluit, knikt Thea hem bemoedigend toe. Ze heft haar gevouwen handen. Max begrijpt dat Thea verwacht dat hij een dankgebed zal uitspreken. Ook dat is Max niet gewend. Hij is een man die liever in stilte God zoekt. Toch vindt hij de goede dankwoorden. En na zijn 'amen' zegt Thea met heldere stem hem na: 'Amen.'
Er valt een korte stilte, maar dan klapt Bette in haar handen. 'Allemaal helpen met opruimen. Theodosia, Annerieke, het was geweldig. Bedankt.'
In de keuken trekt Bette Annerieke even apart in een hoekje. 'Het gaat zo te zien goed met mijn zus. Praat ze weleens over wat er bij die Titus gebeurd is?'
Annerieke moet haar teleurstellen. 'Met geen woord. Ze is me soms te opgewekt. Alsof ze zich een houding aanmeet. Ik heb zo met haar te doen.'
Bette snikt. 'Ach kind, we leven in een tranendal. Maar ik moet toegeven dat het vandaag een feestdag is.'
Die woorden worden door Thea opgevangen. 'Zo is het maar net, Bette. Als er een reden is om feest te vieren, moet je dat niet nalaten of verzuimen te komen. O zo.'
Zelfs Yalda vond het 'eigenlijk best gezellig'.
'We houden het erin: samenkomen met Pasen. En als het aan mij ligt, mensen, herhalen we dit alles met Kerstmis.'

Annerieke stemt dapper in met het plan. Maar ze denkt: Kerstmis... Wie weet waar we dan zijn, waar ik ben en woon. Wist ze het antwoord maar vast. Dan zou ze zich heel wat geruster voelen. Toen haar vader nog aanspreekbaar was, zei hij vaak: 'Leven bij de dag, Annerieke. We krijgen het leven mondjesmaat toegemeten, één dag tegelijk.' Pa had gelijk. Ze neemt zich voor die woorden ter harte te nemen, ze zich eigen te maken. Niet tobben over de toekomst. Vandaag heeft genoeg aan zichzelf.

Zowel Annerieke als haar tante vindt het geweldig dat ze huisgenoten zijn. Geen van twee spreekt uit waar ze bang voor zijn: het feit dat het huis binnenkort ontruimd zal moeten worden.
Volgens Thea aarzelt haar neef Dick omdat hij het prima vindt dat hun dochter tijdelijk bij hen inwoont.
Waar Annerieke achteloos is tegenover het meisje, is Thea alert. 'Wat dat kind mankeert weet ik niet, Annerieke. Maar er is iets goed mis met haar. Heb je haar bijvoorbeeld ooit in een bloesje of shirt zonder mouwen gezien? Nee? Dacht ik al. Volgens mij beschadigt ze zichzelf. Dat is een symptoom. Waarvan? Ik zou niet weten... Als jij niet met haar ouders gaat praten, doe ik het.'
Annerieke zegt het niet te durven. 'Wat heb je nu in handen. Je kunt niets bewijzen. Maar nu je het er toch over hebt, Thea, ik vind dat ze wel erg vreemde dingen over haar ouders vertelt. En over Wieger en Esther. Dat ze haar, eh... Nou ja, ik zal maar zeggen: dat ze haar lastigvallen.'
Thea schudt haar hoofd. 'Dat heb je me verteld, maar geloof je het zelf? Misschien heeft ze het in een boek gelezen en wil ze interessant doen. Zulke dingen staan ook weleens in de krant. En vergeet de televisie niet. Bovendien heeft het kind een laptop. Wie weet wat ze daarmee allemaal opsnort.'
Het zit Annerieke niet lekker. Ze heeft geen snars verstand van

psychologie. Bovendien weet ze zeker dat Yalda dichtklapt als zij, Annerieke, haar zou uithoren. 'Zoek jij dan ook maar op internet, Thea. Wie weet vind je de juiste manier van omgaan met dit soort dingen. Eerlijk gezegd ben ik een beetje bang voor haar reacties. Weet je wat? Ik ga straks naar het uitzendbureau. Misschien hebben ze een baantje voor een vrouw zonder specifieke opleiding. Op de terugweg koop ik een shirtje zonder mouwen voor Yalda. Kijken hoe ze reageert.'
De medewerkster van het uitzendbureau kijkt Annerieke bijna medelijdend aan wanneer het aanmeldingsgesprek is beëindigd. Ze zegt momenteel geen baan in de aanbieding te hebben waarin Annerieke zou passen. 'Waarom neus je de kranten niet door of zet je zelf geen advertentie? Je bent geschikt als hulp voor invalide mensen, denk ik zo, ook al heb je geen opleiding in die richting. Maar daar kun je nu mee beginnen. Keus genoeg, zou ik denken. Met een paar papiertjes in je handen sta je er over een jaartje heel anders voor.'
Annerieke had er niets van verwacht, maar toch is ze teleurgesteld, en met een stapeltje folders in haar tas fietst ze door de lentezon naar het winkelcentrum. Een shirtje voor Yalda. Ze rommelt in de rekken bij C&A, denkt dat ze maatje small moet hebben. Het meisje hult zich momenteel in kleding met sombere kleuren. Zwart, donkergrijs of bruin. Ze hoort twee tieners kwebbelen en verneemt op die manier dat komende zomer ook vrolijke kleuren in zijn. Het blijft een gok. Annerieke kiest wat ze zelf wel aan zou willen. Een gestreept truitje. En nu afwachten hoe Yalda reageert.

5

THEA HEEFT HAAR HUISWERK VOOR EEN GROOT gedeelte gedaan wanneer Yalda thuiskomt. Nee, geen zin in thee. Ze neemt wel een cola. Een babbeltje maken? Haha, moeder achter de theepot, dochter moet zich vooral welkom voelen.

'Is dat zo raar?' zegt Thea streng. 'We leven onder hetzelfde dak. Het is toch normaal dat je belangstelling voor elkaar hebt. Wat weet ik nu van een hedendaagse tiener? Echt, ik wil dolgraag weten wat jullie bezighoudt. Kom, een kwartiertje kan er wel af. Gaan we buiten zitten. Ik heb koekjes gebakken. Of is dat ook ouderwets?'

Yalda voelt dat ze niet zonder meer kan weigeren. Nukkig laat ze zich op een tuinstoel neerploffen. Ze trekt haar rode pet met lange klep tot bijna over haar ogen. Ze lebbert haar colablikje leeg en kan niet van de koekjes afblijven.

Thea begint te praten over de plannen die er met het huis zijn. 'Als het verkocht wordt, zul jij ook weer naar huis moeten. Want ik denk niet dat Annerieke op haar toekomstige woonplek plaats heeft voor een logee. Ik sta er net zo voor als jij: dakloos. Het mankeert er nog aan dat wij beiden op straat gaan leven.'

Het is als een grapje bedoeld, maar Yalda gaat er serieus op in. 'Dat lijkt mij ook wel wat. Ik heb een afkeer van de maatschappij en al die oerdomme regeltjes. Alleen al bij mij thuis is het bar en boos. Als ik niet in de maat meeloop, zwaait er wat.'

Thea maakt een aanmoedigend keelgeluidje. Ze zou willen roepen: 'Stort je hart uit, kind.'

Maar Yalda weet wie ze tegenover zich heeft. Annerieke, die kan ze van alles wijsmaken. Haar heeft ze in een mum van tijd op haar hand. Maar tante Theodosia is door de wol geverfd.

'Is het zo erg? Moet ik eens met mijn neef en zijn vrouw gaan praten?' zegt Thea op meelevende toon.
Op dat moment knarst het tuinhekje in zijn scharnieren, en duwt Annerieke haar fiets door de opening. 'Wat zitten jullie daar gezellig,' roept ze.
Yalda kan het opbrengen niet meteen op te springen en naar boven te gaan. Ze rukt aan haar pet en neemt nog een koekje. Annerieke laat zich door Thea bedienen: thee, koekjes en bovendien een luisterend oor. 'Dus ga ik zelf adverteren. Wat vinden jullie ervan?' ze rommelt in haar tas en gooit een plastic tasje met inhoud op Yalda's schoot. 'Omdat het zulk mooi weer is...'
Yalda is verrast en gluurt door de opening van het tasje. 'Hm...' Ze peutert het kledingstuk eruit en kijkt aanvankelijk verrast. Ze lijkt tevreden met het cadeautje. 'De kleuren zijn goed.'
Annerieke krijgt van Thea een knipoogje.
Dan kijkt Yalda hen één voor één aan. Ze houdt het shirtje omhoog. 'Het kan toch nog wel geruild worden? Heb je de bon bewaard? Deze kleuren staan me namelijk niet. Het was wel lief van je, hoor.'
Thea informeert of Yalda het niet wil passen, maar Yalda heeft het kledingstuk alweer opgevouwen en teruggestopt. 'Ik wil het zelf wel ruilen, Annerieke, als jij het vervelend vindt. Mijn ma koopt al een paar jaar niets meer voor me. Ik heb kleedgeld. Zij koopt ook altijd de verkeerde dingen, zie je.'
Het klinkt zo logisch dat het waar zou kunnen zijn. Maar de twee vrouwen zijn achterdochtig geworden.
Thea's hersens zoeken naarstig naar een andere mogelijkheid om Yalda te confronteren met eventuele littekens en wondjes. 'Wanneer zijn de zwembaden open? Ik ben dol op zwemmen. En ik trakteer jullie beiden op een middagje tropisch zwembad.'
Nog voordat ze is uitgepraat, roept Yalda dat ze watervrees heeft. 'Zwemlessen waren een ramp voor me. En de zee, dat is helemaal één ellende.'

Annerieke schudt haar hoofd. 'Dat is jammer voor je. Daar zou je iets aan moeten doen. Er zijn vast wel therapieën voor dit soort vrees. Sommige mensen durven niet door een tunnel. Voor anderen is het idee in een vliegtuig te moeten stappen een ramp. Dus waarom zou jij niet over je watervrees heen kunnen komen?'
Yalda springt op en peutert haar paardenstaart door het gat achter in de pet. 'Ik heb een berg huiswerk. Drie so's.'
Thea wil weten wat een so is.
'Schriftelijke overhoring natuurlijk. Heette dat in jullie jeugd dan anders?' Ze wacht niet op een antwoord en rent het huis in. Haar voeten roffelen op de traptreden, en even later knalt er muziek door het gesloten raam naar buiten. De bassen dreunen.
Thea legt haar handen tegen haar oren. 'Dat kind moet nodig terug naar huis.'
Annerieke is het stilletjes met haar eens. 'Help je me met het opstellen van een advertentie, Thea? Ik denk aan bladen die door ouderen worden gelezen. 'Gezelschapsdame, bekend met verplegen, biedt zich aan.' Met een beetje geluk heb ik dan meteen onderdak.'
Thea schudt verwoed haar hoofd. 'Ik denk dat je eerst een studie moet volgen, meisje.'
Annerieke mikt de meegenomen folders op tafel. 'Uitzoeken maar. Ik zou natuurlijk ook kunnen proberen aan de man te komen. Iemand die genoeg verdient om zijn vrouw te onderhouden...'
Heel even denkt Thea dat Annerieke het meent. 'Je hebt mij als afschrikwekkend voorbeeld. Nee, we moeten verder denken. Zelfstandig zijn. Je moet nooit afhankelijk van een ander willen zijn.' Thea krijgt tranen in haar ogen en veegt ze tersluiks weg. Het heeft geen zin haar nicht met haar eigen ellende te belasten. Ze zet het gebruikte serviesgoed op het dienblad en jaagt een vlieg weg voordat hij op de koekjes kan

gaan zitten. Met nagemaakte vrolijkheid roept ze dat Annerieke het vertrouwen niet moet verliezen. Ze loopt naar de keuken en kijkt even over haar schouder. 'Anders beginnen we samen een patatkraam of iets dergelijks.'
Annerieke zakt achteruit in haar stoel en zet deze in de laagste stand. Ze heft haar gezicht op naar de zon, sluit haar ogen en mompelt voor zich heen: 'Dat we daar niet eerder op zijn gekomen...'

Het is de broers Dick en Wieger ernst: het wordt hoog tijd dat het ouderlijk huis verkocht wordt. En als Annerieke verstandig is, begint ze zelf te zoeken naar nieuwe woonruimte.
'Als het huis genoeg opbrengt, kun je misschien zelfs denken aan een koopflatje. Maar dan zul je toch eerst werk moeten vinden, want anders krijg je geen hypotheek, meisje.'
Geen van beiden praat meer over een financiële tegemoetkoming voor het feit dat Annerieke zich jaren achtereen voor haar beide ouders heeft ingezet.
Thea hoort hen zwijgend aan, en geeft geen commentaar. Later merkt ze tegen Annerieke op dat bij het verdelen van erfenissen en andere familietoestanden vaak blijkt wat de ware aard van de betrokkenen is.
Annerieke spelt de krant en belt instanties af die zouden kunnen helpen. Ze vraagt zich in alle ernst af wat voor soort studie haar zou liggen. Zou het werkelijk zo zijn dat ze niets anders kan dan zieke mensen verzorgen? Maar als ze daarvan haar beroep zou willen maken, moet ze pittige studies volgen.
Wanneer ze het af en toe niet meer ziet zitten, zegt Thea troostend: 'Ik ben er ook nog, kind.' Zulke woorden maken dat ze zich niet ouder dan tien jaar voelt.
Niet alleen Thea is er, ook tante Bette. Bij thuiskomst na een bezoek aan het arbeidsbureau treft ze beide tantes in de kamer aan, terwijl het buiten schitterend weer is. Ze staan naast de salontafel, de armen om elkaar heen. Aanvankelijk herkent An-

nerieke tante Bette niet. De vrouw die zich aan Thea vastklemt, heeft namelijk vuurrood geverfd haar. Haar schouders schokken, en ze huilt met gierende uithalen.
Annerieke aarzelt. Zal ze zich terugtrekken?
Maar dan ziet Thea haar. Over Bettes ene schouder zegt ze: 'Kom verder, Annerieke. Je bent niet bij vreemden, maar in je eigen huis.'
Bette draait zich om. Haar gezicht is gezwollen van het huilen.
'Ach, tante Bette toch. Is het zo erg?' zegt Annerieke meelevend.
Even later staan ze alle drie in een omarming.
'Zo is het genoeg,' zegt Thea. 'Ik zet een pot thee. Hopelijk heb jij eraan gedacht koekjes mee te nemen, Annerieke.'
Annerieke knikt gehoorzaam. 'Hernhuttertjes. Op de keukentafel.' Ze trekt haar snikkende tante mee naar de bank. 'Wat is er gebeurd, tante Bette? Zijn het mijn neef en nicht weer?'
Bette wrijft met een natgehuilde zakdoek over haar ogen en knikt. 'Max en ik waren goed om op de kleinkinderen te passen, of het ons schikte of niet. En van het ene moment op het andere mogen we dat zelfs niet meer. Om redenen die kant noch wal raken. Ze willen afstand. Raad van de psychiater. Nou ja, alsof wij hun ooit kwaad hebben gedaan. Wat er echt speelt, is ons een raadsel. Het gaat om geld. Ik – wij, moet ik zeggen – hebben Suus geld geleend voor een nieuwe keuken. Het moest geheim blijven. Maar Pim kreeg het van zijn zwager te horen. Die vertelde dat zijn zus zo graag een andere keuken wilde. Pim kwam op hoge poten bij mij. En hij eiste net zo veel geld als ik aan Suus had geschonken. Dat kwam zo. Toen ze de helft hadden terugbetaald, hebben Max en ik besloten haar de rest te schenken.'
Annerieke heeft nooit veel contact met de kinderen van Bette gehad. Maar voor zover ze hen kent, kan ze zich niet voorstellen dat ze in staat zijn hun ouders pijn te doen. 'En de schoonkinderen?' vraagt ze voorzichtig. Als tante Bette hun nu maar

niet de schuld geeft. Zulke dingen lees je vaak in tijdschriften. 'Die hebben hun de ogen geopend, zeggen ze. Niets deugt er van ons. Onze levensstijl niet, de manier waarop we met ons geld omgaan niet. We mogen hun kindjes niet verkeerd beïnvloeden. En, o ja, we zouden geroddeld hebben. Tegen de één over de ander. Alles wat er ooit gezegd is, wordt uit zijn verband gerukt. En ik mis de kleinkinderen zo ontzettend.'
'Tja, als het om geld gaat... Kunt u Pim en zijn vrouw niet duidelijk maken dat het om een voorschot op de erfenis ging?'
Bette snuift. 'Had ik eerder moeten bedenken.'
Annerieke streelt met een vinger de gerimpelde hand van haar tante. Ze probeert het gesprek een draai te geven die ontspant. 'En dus hebt u uit protest uw haar rood geverfd? Staat best gaaf.'
'Ik moest iets. Max heeft zijn werk. Ik zit thuis. Ach, ik ben zonder nadenken bij een kapper binnengelopen. Ander sfeertje. En daarna heb ik in een uitverkoop twee paar schoenen gekocht. Dat soort dingen doe ik uit frustratie. Slapen? We liggen als twee poppen in bed. We doen ons best om elkaar niet te laten merken dat geen van tweeën slaapt. En maar hyperventileren. Mijn hart bonkt als een motor die op hol slaat.'
Thea komt binnen met thee en een schaaltje koekjes. Op het blad staat ook een glas water. 'Drink op, Bette. En een aspirientje.'
Bette weidt nog wat verder uit over alles wat ze fout doet in de ogen van de eigen kinderen en hun partners. 'We zijn op onszelf teruggeworpen. Alles wat we wel goed hebben gedaan, wordt genegeerd. En vergeet niet de liefde die we voor hen voelen.'
Thea voelt met haar mee. Ze heeft zelf ook het nodige te verwerken, maar uit zich niet zo gemakkelijk als haar zus. 'Ik denk weleens: we leven in wat de Bijbel de eindtijd noemt. Er is voorzegd dat de liefde zal verkillen. En dat de relatie tussen ouders en kinderen verbroken zal worden. Misschien is ook dit een teken.'

Op dat moment stopt er een auto voor het huis. Een man in driedelig kostuum stapt uit, kijkt om zich heen en bestudeert de gevel.
'Makelaar,' stelt Thea vast.
Alle drie staren ze naar wat er buiten gebeurt, hun hoofden dicht bij elkaar.
De man opent de kofferbak en haalt er een bord op één poot uit plus een grondboor.
Annerieke hapt naar adem. 'Kan dat maar zo... Ach, dat zal dan wel zo zijn.'
Midden in een perk met uitgebloeide bloemen wordt het bord geplaatst.
Bette klemt zich aan haar zus vast. 'Ach, vader en moeder,' zucht ze.
Thea zegt op scherpe toon: 'Vader en moeder hebben nu een hemelse woning, zusje. Als ze mochten terugkomen, zouden ze zich hier niet meer op hun gemak voelen.'
De makelaar staat duidelijk in dubio wat hij nu moet doen. Dan merkt hij de drie hoofden op. Hij trekt zijn gezicht in een glimlach en beent naar de voordeur.
'Wachten totdat hij belt,' dwingt Bette wanneer Annerieke meteen wil opspringen. 'Die broers van jou zijn al niet beter dan mijn kinderen. Ze houden je overal buiten.'
De bel snerpt door het huis.
'Laat mij maar.' Thea duwt Annerieke terug op de bank.
Bette vlucht naar de keuken. 'Ik zie er niet uit...'
Thea laat de makelaar binnen en brengt hem naar de kamer, waar Annerieke opspringt om zich voor te stellen. Algauw blijkt dat de broers hem het huis hebben laten zien op een ochtend dat Thea en Annerieke niet thuis waren. Ja ja, over de vraagprijs zijn ze het ook eens geworden.
Thea informeert liefjes naar de gang van zaken. Wordt er op internet geadverteerd? Hoe ver denkt meneer dat de prijs kan zakken? Wat zijn de kansen, vandaag de dag, dat het snel ver-

kocht wordt? Ze krijgt antwoorden die ze zelf ook had kunnen bedenken. Alles even vrijblijvend.
'Ik bel u wekelijks, meneer, om op de hoogte te blijven. De kwestie gaat niet alleen de heren Atema aan. Ook deze jongedame hier is mede-eigenaar.'
Dat wist de makelaar niet. Hij wordt rood in zijn gezicht. 'En u bent dus degene die hier woont? Wel, ik had een andere indruk. Maar dat is niet van belang. In dat geval... U hoort zo spoedig mogelijk van mij.' Bij de voordeur gekomen draait hij zich om. 'Ik kom nog een keer langs om een bord tegen het voorraam boven te bevestigen.'
Samen kijken ze de wegrijdende auto na.
Bette heeft zich opgefrist. Ze slaat een arm om de andere twee. 'Kom, meiden, nu is het mijn beurt om te bemoedigen. Wat een arrogant ventje, zeg. En zo jong. Nog geen dertig. Vast niet de baas zelf.'
Thea kijkt verlangend naar de theepot. Ze is dorstig van ingehouden opwinding. 'Uiterlijk zegt niets, lieverd. Misschien verkoopt hij dit pand wonderlijk snel. Deze huizen zijn immers erg geliefd, zelfs als er achterstallig onderhoud is, zoals hier. Maar goed, eerst drinken we de theepot leeg en maken we de hernhuttertjes soldaat.'
Bette zegt nodig naar huis te moeten. Max rekent erop dat het eten zo goed als klaar is wanneer hij thuiskomt. 'Heel gewoon, praktisch. En nee, Theodosia, ik ben geen slaafje.' Ze drinkt haar thee staande en heft een voet op om de aandacht te vestigen op haar nieuwe schoenen. 'Ik gebruik het geld dat ik aan de kleinkindjes besteedde, nu voor mezelf. Kapper, schoenen... Er staat nog veel meer op het lijstje. Ik ga nu eindelijk die schakelarmband kopen die ik al zo lang graag wil hebben.'
Annerieke kan er niets aan doen dat ze in lachen uitbarst. 'Tante Bette, u bent een uniek mens. Ik snap niet dat iemand niet van u houdt.'
Bette plukt aan een lok rood haar. 'Ze zeggen dat ze best van

me houden en zelfs voor ons bidden en doen wat er in de Bijbel staat: eert uw vader en uw moeder, dat soort dingen. Maar klaarblijkelijk moet ik wel voor iets gestraft worden. En ons de kleinkinderen onthouden, dat is bijna een misdaad. Maar genoeg geklaagd. Ik ga naar huis.'
Thea geeft haar zus een complimentje. 'Laat je er niet onder krijgen, zusje van me. En bedenk: jullie zijn de enigen niet wie het zo vergaat.'
Nou, dat troost. Bette kijkt Thea verontwaardigd aan. 'Ja ja. Woorden. Ik ga naar de biefstuk en kruimige aardappeltjes. De eerste spinazie uit eigen tuin.'
Thea en Annerieke lopen mee tot aan het tuinhekje, waar Bette haar fiets heeft neergekwakt.
Bette wuift en stapt op. Bij de bocht van de weg kijkt ze nog een keer om en roept iets onverstaanbaars.
Gearmd lopen de twee naar binnen.
'Waarom doen mensen elkaar zo'n pijn, Thea? Het kan allemaal zo anders. Men geeft geld aan zielige doelen in verre landen, en de collectes in de kerk worden ook niet vergeten. Maar de naaste, de allernaasten...'
Thea knikt. Met een barstje in haar stem zegt ze: 'Zo is het, kind. Zo is het. Gelukkig is er Eén die onze moeite ziet en bij wie we altijd terechtkunnen.'

Yalda komt thuis. Ze is rood en bezweet van de warmte. Ze puft. 'Ik haat het dat ik zo'n stuk moet fietsen. Had ik maar een scootertje of zo'n leuke brommer.'
'Fris je op en trek wat luchtigs aan,' adviseert Thea. 'Een shirtje met korte mouwen, een korte broek.'
Yalda kijkt giftig in haar richting. 'Ik ga naar boven. Bendes huiswerk.'
Wanneer ze de deur achter zich heeft dichtgeknald, zegt Thea: 'Hoogste tijd dat het kind teruggaat naar haar ouders.'
Annerieke is het met haar eens, maar durft het niet aan te

kaarten. Ze is bang Yalda het gevoel te geven dat ze ongewenst is. Maar misschien moet ze toch eens gaan praten met Dick en Sandrien. Ze zijn wel erg gemakkelijk met hun toestemming Yalda uit logeren te laten gaan. 'Denk je dat ik met Esther zou kunnen praten over het probleem Yalda? Je moet weten dat Yalda ook Wieger heeft beschuldigd van dingen die je niet waar wilt hebben. Maar ik ben zo bang de boel open te breken. Stel dat het geen leugens zijn?'
Thea zegt streng dat het in dat geval juist noodzakelijk is duidelijkheid te krijgen. 'Ze is beslist gestrest. Ze zit niet goed in haar vel. Wat er in haar kopje omgaat, is niet te raden. Maar ik ben bang dat ze net zo gemakkelijk liegt en bedriegt als dat ze de waarheid vertelt. Ze gelooft namelijk in haar eigen leugens. Die indruk heb ik. Wat we doen? We schakelen samen Esther in. Er moet ingegrepen worden voordat alles escaleert. Ik heb de indruk dat Yalda verstrikt zit in haar eigen verzinsels.'
'Dat moet dan maar, Thea. Met Esther kan ik het best van allemaal overweg. Ze is niet zo kattig als Sandrien. We wippen gewoon op een ochtend bij haar aan.'
Wel, daar is Thea het mee eens. 'Bovendien zal ik vragen of ik wat voor haar kan breien. Ik heb veel gebreid voor bazaars en andere goede doelen. Vooral babykleertjes. Breien ontspant, en je bent toch bezig. Misschien iets voor jou?'
Annerieke schudt haar hoofd. 'Ik kan het amper. Op school moesten we een slang breien. Tien lapjes, verschillend van kleur, allerlei steken. Kabels, recht en averecht, patentsteek, gerstekorrel... Ik bracht er niets van terecht. En mamma maar breien. Enfin, dankzij haar kwam het monster op tijd klaar.'
Thea zegt dat ze naar boven gaat om in haar verhuisdozen een patronenboek te zoeken.
Annerieke luistert naar de voetstappen op de trap en gaat dan voor het raam staan. Ze kijkt naar het bord, dat rechtop staat: 'Te koop'. Tranen prikken achter haar ogen. Er komt veel te veel op haar af. Als het huis verkocht wordt, komt het uitrui-

men op haar neer. Zij moet beslissen wat er weg moet, wat er kan blijven. Het schilderij zal definitief naar één van hen drieën gaan. Ze heeft het nooit hardop gezegd, maar ze zou het graag zelf willen houden. Het hoort bij haar jeugd. Als klein kind verdronk ze soms in het landschap. Een geheimzinnig paadje dat verdween om een struikgewas. Waar voerde het heen? Naar een van die lieve huisjes aan de horizon? Of dieper het bos in? Kinderdromen. En dan: waar zal ze moeten wonen? Waar gaat Thea heen? Ook deze tante zal een eigen onderkomen moeten zoeken. Ze houdt zich flink en praat nooit over dat wat haar is overkomen. Ze staat altijd voor anderen klaar. Ja, tante Theodosia is een enorme steun voor haar. De krantenbezorger fietst over de weg, stopt en duwt met zijn voorwiel het hekje zo open dat hij een stukje de tuin in kan, precies ver genoeg om bij de brievenbus te komen.
Annerieke scheurt zich los van de zware gedachten die haar plagen. De krant. Wie weet staat er deze keer een advertentie in die precies behelst wat zij nodig heeft.

6

HOE LANGER YALDA BIJ ANNERIEKE LOGEERT, DES te minder vat krijgt Annerieke op het meisje.
Zelfs Thea, die met bijna iedereen kan omgaan, wordt het te bar. 'Dat kind moet terug naar huis. Als jij haar dat niet duidelijk maakt, doe ik het.'
Annerieke aarzelt. 'Stel dat er toch iets waar is van wat ze vertelt, wat dan?'
Thea's gezicht wordt rood. 'Dat meen je niet. Zeker weten dat die twee neven van mij niet tot zulke laagheden in staat zijn. Goed, ze zijn niet altijd even sympathiek in de omgang, maar je maakt mij niet wijs dat ze handtastelijk zijn.'
Annerieke denkt aan de gevallen die de krant hebben gehaald. Mannen van wie je niet verwacht dat ze niet van een eigen kind kunnen afblijven.
'Jij bent bang voor je broers. Dat is het. Kom op. We wassen dat varkentje samen wel.'
Voordat het zover is, krijgen ze de schrik van hun leven. Wanneer ze op een dag na de boodschappen thuiskomen, blijkt er te zijn ingebroken. Laden van kasten staan open, en in de keuken slingeren levensmiddelen over de grond.
'Niet te geloven. Stond er een deur open? Daar geloof ik niets van,' hijgt Annerieke.
Thea beent naar de kamer. Ook daar is het een bende. Kussens liggen van de bank en uit de stoelen, en zo te zien is de krantenbak omgekeerd op de vloer.
Annerieke rent achter haar aan. 'We moeten de politie bellen en aangifte doen. Ik zal boven kijken of...' Dan grijpt ze de arm van haar tante vast. 'Kijk nou toch. Het schilderij is weg.'
Inderdaad, daar waar het hing, is een lichte plek, die vreemd afsteekt bij de rest van het behang. 'Het schilderij... Zou het dan toch waarde hebben? Dat hebben we nooit geweten.'

Thea tuit haar lippen en zegt dat ze niets moeten aanraken in verband met vingerafdrukken. 'Loont het toch dat ik altijd naar spannende films op de televisie kijk. Titus zei weleens...' Ze klapt haar kaken op elkaar en vervalt in zwijgen.
Annerieke rent de trap op. Ze rukt de deur van Yalda's kamer open. Gelukkig, het meisje is niet thuis.
Een vluchtig onderzoek leert dat er boven niets weg is.
Wanneer ze terug is in de kamer, staat Thea te bellen. Ze vormt met haar mond het woord 'politie', met één vinger op het toestel wijzend.
Gelijk met de de agenten – een man en een vrouw – komt Yalda aangefietst. Terwijl Thea verslag doet, luistert ze aandachtig mee. Er worden bekende vragen gesteld. Dan controleren de twee of er op de benedenverdieping geen ramen of deuren geforceerd zijn, wat niet het geval is.
Yalda oppert dat de inbreker misschien al binnen is gekomen toen ze nog thuis waren. 'Dat kan toch?'
De tijdstippen waarop de bewoners het huis hebben verlaten, worden genoteerd.
Yalda klopt op haar rugzak. 'Ik ga naar boven. Bende huiswerk en zo.'
Thea informeert of er meer gevallen van inbraak in deze buurt bij de politie bekend zijn. De vrouwelijke agent klapt haar opschrijfboekje dicht en schudt haar hoofd. 'Het laatste geval is alweer een paar maanden geleden. Toen hebben inbrekers hun slag geslagen in een woning waarvan de bewoners hun vader aan het begraven waren. Dat was zo intriest.'
Zodra de kwestie is afgehandeld, beginnen Thea en Annerieke aan het opruimen.
'Bah, het idee dat iemand met zijn handen aan onze spullen is geweest... Moeten we de verzekering bellen in verband met het schilderij? We weten zelf de waarde ervan niet eens.'
Thea zegt dat zodra ze klaar zijn, Annerieke tussen de papieren, die haar vader keurig had geordend, vast en zeker een ver-

zekeringsformulier zal vinden waarvan ze gebruik kunnen maken. 'En anders bellen we even.'
Wanneer de keuken bijna weer op orde is, rinkelt in de kamer de telefoon. 'Laat mij maar,' zegt Thea haastig. 'Ik verwacht een belletje. Zet ondertussen koffie, lieverd. Mijn tong is net een leren lap.'
Een leren lap. Annerieke herinnert zich dat haar vader die uitdrukking ook vaak gebruikte. Onder haar voeten knerpt de inhoud van een pak suiker. 'De ellendelingen,' moppert ze voor zich heen.
Even later voegt Thea zich opgewekt weer bij haar. 'Vanavond bellen we je broers. Ze zullen hard komen aanlopen wanneer ze horen dat het schilderij verdwenen is.'
Annerieke gromt een antwoord.
Van boven komt keiharde muziek. De glazen in de kast rinkelen. Zware bassen dreunen een onverdraaglijk ritme.
Thea kijkt met boze ogen naar het plafond. 'Je zou dat kind toch. Zo dwingt ze ons naar boven te lopen om te vragen of ze dat geluid wil dempen.'
Annerieke pakt haar mobiel. 'Dit is simpeler, Thea.'
Het werkt. Even later keert de rust terug.
Wanneer ze met de koffie in de kamer zitten, wijst Annerieke naar buiten. 'Kijk, de politiemensen zijn de buurt in geweest. Jammer dat we geen naaste buren hebben. Ik denk niet dat iemand iets gezien heeft.'
Thea krijgt gelijk: ze hebben die avond nauwelijks het eten op, of de broers komen opdraven, samen in één auto.
'Ik ken mijn pappenheimers,' grinnikt Thea.
Terwijl Annerieke de restanten van de maaltijd opruimt en het serviesgoed in de gootsteen zet, ontvangt Thea haar neven.
'Waar ga jij heen?' Annerieke houdt Yalda tegen, die opeens haast blijkt te hebben. 'Ik dacht dat je zo veel moest doen?'
Yalda knikt. 'Daarom ga ik naar een klasgenoot. Woont aan paar straten verder. Ik kom ergens niet uit. Tot zo.'

Wanneer Annerieke de kamer in loopt, ziet ze haar broers voor de plek staan waar het schilderij heeft gehangen.
'Ik zei nog tegen pa voordat hij ziek werd, dat hij ermee naar een kunsthandel moest gaan. Maar het kon hem geen snars schelen of dat ding waarde had of niet.'
Beide mannen hebben de handen in hun broekzakken en staan op de bal van hun voet te wippen.
Annerieke bedenkt dat ze hun hele leven al hebben gewiebeld op momenten dat er problemen waren. Ze glimlacht. 'Hallo daar,' zegt ze.
Twee hoofden wenden zich gelijktijdig om.
'Wat een toestand,' roept Dick.
Wieger legt een hand op Anneriekes rug. 'Ben je erg geschrokken, zusje?'
Het zusje knikt. 'Nogal. Het vervelende is dat niemand de waarde van het schilderij weet of kan vaststellen. Wat moet je daar nou mee? Misschien duikt het ooit ergens op. Anderzijds zou het niet gestolen zijn als het waardeloos was.'
Thea zet koffie en fluistert Annerieke in dat ze nu van de gelegenheid gebruik moeten maken om te vertellen dat Yalda een probleem begint te worden. 'Hoeven we het niet via Esther te doen.'
'Hoe voelt het, Annerieke, dat er iemand met zijn vuile handen aan jouw spullen heeft gezeten?' informeert Wieger. 'Bij Esther thuis is ooit ingebroken geweest. Haar moeder heeft er zoiets als smetvrees aan overgehouden.'
Het voorval wordt van alle kanten belicht, totdat Thea met de koffie binnenkomt.
Dick fronst zijn wenkbrauwen. 'Ik kan niet lang blijven. Ik heb een vergadering met lui van de gemeente. Mensen uit onze wijk moeten meebeslissen wat er met een braakliggend stuk grond gedaan moet worden.'
'Jij blijft mooi zitten, waarde neef. Wij hebben hier namelijk nog een probleem, en dat probleem heet Yalda.'

Dick schrikt op en morst koffie op zijn overhemd. 'Wat dan?'
Thea blijft kalm. Ze vertelt in een paar woorden wat ze van Annerieke heeft vernomen. Beide broers lopen rood aan.
'Dat meent u niet, tante Theodosia. Annerieke, hoe kom je aan die verzinsels?'
Annerieke schuift ongemakkelijk op haar stoel heen en weer. 'Wat Thea vertelt, is nog niet eens alles. Aanvankelijk geloofde ik haar ook nog.'
'Dat meen je niet,' briest de anders altijd zo beheerste Wieger.
Dick balt een vuist en zet zijn inmiddels lege kopje terug op het schoteltje. 'Er zijn al vaker problemen van die aard geweest. Geld wegpakken uit de beurs van Sandrien, klachten over leraren die ongegrond bleken, dat soort dingen. En aan haar decaan heeft ze verteld dat ze een ellendige jeugd bij ons heeft gehad. Daar ben ik van de week achter gekomen. Jawel, we zijn op het matje geroepen.'
Annerieke kan wel huilen. Het arme kind. Wat moet er in haar omgaan? Ze heeft alles wat ze nodig heeft en nog meer. Een veilig thuis, strenge, maar goede ouders...
Thea zegt dat ze op internet gezocht heeft naar dit soort klachten. 'De leugens komen vlot uit haar mond. En wij denken – ik weet het wel zeker – dat ze zichzelf beschadigt. Het is een soort syndroom. Ze is ziek, jongens. En ze heeft hulp nodig. Je kunt haar op haar nummer zetten, straffen en weet ik veel wat nog meer, maar daarmee is ze niet geholpen. Dit moet tot op de bodem worden uitgezocht. Je begrijpt dat Annerieke haar echt niet langer in huis kan hebben. En ik ook niet. We houden van het kind, maar die verantwoordelijkheid is ons te zwaar. Is het niet, Annerieke?'
Nu huilt Annerieke stilletjes achter een zakdoek. Ze heeft met Yalda te doen. Zo'n beeldje om te zien. Net een jong hertje, zo aandoenlijk jong. Grote blauwe ogen, een blond paardenstaartje dat vaak eigenwijs uit haar petje steekt. Een puber in een dip, een depressie, ach, dat heeft bijna iedereen weleens. Maar

dit, dit zit veel dieper. En de oorzaak is voor hen geen van allen te vinden. Zelfs ernaar raden is onmogelijk.
'Ze moet meteen mee naar huis. Sandrien zal schrikken.'
Annerieke zegt dat ze niet weet wanneer Yalda terug zal komen. 'Ik heb het idee dat ze jou met opzet heeft ontweken, Dick. Wat nu?'
Goede raad is duur.
'Man, ga naar huis en overleg met Sandrien. Ga op kalme manier een gesprek met het kind aan. Desnoods zoek je zelf eerst de juiste hulpinstantie. Tja, dan pas kun je haar confronteren met wat ze zoal de wereld in heeft gestuurd.'
Dick windt zich met de minuut meer op. 'Denk eens aan onze goede naam. Wat zullen de mensen zeggen? Ik hoor het al. Waar rook is, is vuur. Dit moet zo snel mogelijk gestopt worden.' De belangrijke vergadering lijkt vergeten.
Wieger vindt dat ze Thea en Annerieke dankbaar moeten zijn dat ze de moed hebben gehad om hen in te lichten. 'Had het maar meteen verteld, Annerieke. Hopelijk is de schade nu nog te beperken.'
Dat is wat ze allemaal hopen. Het heeft geen zin op Yalda te wachten. Ten eerste is Dick zo geagiteerd dat hij haar te lijf zou gaan.
'Dit betreft ons alle vier, broeder. Esther kan juist zo goed met haar omgaan. Wij stappen op en houden contact.'
Het schilderij lijkt ook voor even vergeten.
Wanneer de broers naar de auto lopen, blijft Dick even staan. Hij strijkt over zijn kalende schedel en zegt: 'Waar ook. Er is belangstelling voor het huis.'
Thea glimlacht fijntjes. 'Dat is toch mooi? Een woning als deze vind je bijna niet.'
'Moet ik me nu schuldig voelen omdat ik het voor me heb gehouden, dat met Yalda, Thea?' denkt Annerieke hardop wanneer ze de mannen hebben uitgezwaaid.
'Het is een gecompliceerd geval, kind. Jij bent slechts een bij-

figuur in het probleem. Je moest het toch even laten bezinken? Je loopt toch niet meteen met zo'n verhaal naar de betrokken personen? Het klinkt zo ongeloofwaardig. Zit er maar niet over in. Je kunt het nu uit handen geven.'
Dat probeert Annerieke ook, al kost het wel moeite een normale houding tegenover Yalda aan te nemen.

Meteen de volgende dag blijkt dat ook de schoonzussen Sandrien en Esther over hun toeren zijn. Nog vóór koffietijd staan ze onaangediend op de stoep. Aan Esther is te zien dat ze niet – of minstens slecht – heeft geslapen.
'Kom er gauw in. Jullie willen zeker alles ook nog een keer horen?' stelt Thea vast.
Annerieke kijkt haar schoonzussen verlegen aan. 'Ik had het misschien eerder moeten vertellen, maar ik wilde Yalda niet afvallen. Ik twijfelde zo.'
Esther geeft haar een zoen. 'Het is goed zoals het gegaan is. Maar dit gaat ons als familie aan. Ik merkte ook wanneer Yalda bij ons was, dat ze vaak speelde met de waarheid en die verdraaide als het haar zo uitkwam.' Ze richt zich tot Thea. 'Tante, zal ik helpen met de koffie?'
Thea wijst naar een stoel. 'Jij gaat zitten. Je kunt nu niet meer verbergen dat er een kindje op komst is. Hoe voel je je?'
Esther roept dat het prima gaat. 'Beter dan in het begin. Ik ben kort zo ziek van misselijkheid geweest. Volgens de verloskundige was het abnormaal. Maar nu voel ik me erg goed.'
Ondertussen reddert Annerieke in de keuken. Beide schoonzussen op bezoek, dat is ze niet gewend.
Sandrien is nerveus. Ze luistert met gefronste wenkbrauwen naar het gebabbel van Esther. Had ze zelf maar een kindje gekregen. Dan was adoptie nooit een keuze geweest. Yalda was een snoezig kindje, en vaak werd ze staande gehouden omdat voorbijgangers het blonde kleintje wilden bewonderen. Mensen vroegen waar ze geboren was en dat soort dingen. De

moeilijkheden begonnen pas toen Yalda in groep acht van de basisschool terechtkwam. Ze leerde slecht. Haar rapporten denderden achteruit. Uiteindelijk kwam ze op een school terecht die te gemakkelijk voor haar was. Maar dat was voor Yalda geen probleem. Ze deed niet haar best om hogere cijfers te halen zodat ze zou kunnen doorstromen naar een opleiding die bij haar intelligentie paste. 'Wat moeten we doen?'
Esther en Thea staken verschrikt hun gebabbel over de baby die in het najaar het levenslicht zal zien.
'Doen?' Thea neemt het blad met de koffie over van Annerieke.
Pas wanneer ze alle vier hebben plaatsgenomen, eist Sandrien dat Annerieke vertelt wat ze gisteren aan haar broers heeft meegedeeld. 'En je hoeft het kind niet te ontzien. Ik wil niets anders dan de waarheid horen.'
Wanneer Annerieke stilvalt, neemt Thea het woord. 'We hebben allemaal zo onze gedachten hoe we de zaak moeten aanpakken, nietwaar? Ik zal zeggen wat ik vind. Per slot van rekening ben ik ouder en misschien wat wijzer dan jullie. Je kunt verschillende dingen doen. Eén mogelijkheid is Yalda confronteren met wat we nu weten. Wat gebeurt er dan?' Thea steekt bezwerend een hand op naar Sandrien, die wil roepen dat dan een drama het gevolg zal zijn.
'Juist. We moeten aan het kind denken. Zij is degene die problemen heeft. Vergeet niet dat ze juist nu onze liefde hard nodig heeft. Dus lijkt het mij het beste eerst hulp te zoeken en een deskundige te vragen wat de beste manier is om het aan te pakken en dan pas Yalda te confronteren met de leugens die ze rondstrooit. Ze moet inzien dat ze zo niet met mensen kan omgaan. Iemand zwart maken, zijn goede naam in diskrediet brengen, gaat te ver. Jullie weten dat ze zichzelf beschadigt?'
Sandrien vliegt bijna van haar stoel. 'Je meent het. Altijd die shirts met lange mouwen. Dat is iets van het laatste halfjaar. Nou ja, in de winter merk je dat niet op. De blaag.' Sandrien

is teleurgesteld. Ze heeft zo haar best gedaan om een goede moeder voor de kleine wees te zijn. En dit is haar dank?
'Een kind is de ouders niet dankbaar, Sandrien. Dat komt later, wanneer ze zelf kinderen hebben. En dan is het vaak te laat om te laten weten dat je blij met hen was. Maar goed, dat is een zijpad. Ik denk dat Yalda inwendig schreeuwt om aandacht, nog meer dan ze al krijgt, ook al is het negatieve aandacht. Maar goed, terug naar de deskundige. Ze zal moeten inzien dat ze dringend hulp nodig heeft. Zoek het maar na op internet. Dat is iets wat Sandrien en Dick moeten doen. Wij kunnen jullie bijstaan, maar de leiding is in jullie handen.'
Esther pinkt een traantje weg en denkt aan het kindje in haar buik. Je wilt toch niet stilstaan bij alles wat een kind van je kan overkomen?
Annerieke merkt bitter op dat de kinderen van tante Bette verre van dankbaar zijn. Eerder het tegenovergestelde.
'Dick heeft de halve nacht en langer achter de computer gezeten. Vanavond gaan we praten. Dick kan zo impulsief en direct zijn.' Sandrien is over haar toeren. Dat is duidelijk.
Annerieke mompelt: 'Nee toch?'
'En als ik hem niet tegenhoud, maakt hij meer kapot dan dat hij hulp biedt. Maar goed dat Yalda nog hier logeert. Ik kan me voorstellen dat jullie haar kwijt willen.'
'Tut tut tut,' protesteert Thea. 'Zo praten we niet over Yalda. Nooit vergeten dat we moeten liefhebben en moeten klaarstaan om te vergeven. Vergeet niet dat het meisje psychisch ziek is. Met hulp van buitenaf zal het lukken haar weer op de goede weg te krijgen. En we bidden. Dat is geen loze kreet, Sandrien. De Heer Jezus is alle macht in de hemel en op aarde gegeven. Zul je je daaraan vasthouden?'
Sandrien mompelt iets onverstaanbaars en wijst op haar lege kopje.
Annerieke staat al. In de keuken blijft ze een ogenblik doodstil bij het aanrecht staan. Alle macht op aarde. 'Here, help ons

hierdoorheen. Vervul ons van liefde als we het zouden willen laten afweten. Wij zijn zo machteloos.' Ze zet de koudwaterkraan open en plenst een handvol water in haar gezicht. Even diep ademhalen. De stof van de buiten gedroogde handdoek schraapt over de huid van haar gezicht. Vanuit de kamer klinkt de stem van Sandrien luid en schril op.
Annerieke vult de kopjes en dept met een doekje geknoeide druppels op.
'Er valt niets te lachen,' roept Sandrien.
Annerieke stoot de deur met een elleboog open. Ja, dat is ze met haar schoonzus eens. Toch lachen Thea en Esther om iets. Annerieke neemt niet de moeite om te vragen wat de reden van de korte vreugde was en deelt de kopjes uit.
'Jullie moeten opschieten. Stel je voor dat Yalda vroeger thuiskomt. Dat is van de week al drie keer gebeurd.'
Sandrien sneert dat Yalda berucht is vanwege de manier waarop ze spijbelt. 'De decaan zou de leraren inlichten. Enfin, het balletje begint te rollen. Het moest wel een keer escaleren. Dat zat er al jaren in. Ik ben bang dat ze haar uit huis zullen plaatsen. De schande...'
Thea opent haar mond. Ze wil Sandrien terechtwijzen, maar ze bedenkt zich op tijd. Straks zeggen ze nog dat ze moet stoppen met preken.
Esther is de eerste die zegt te willen opstappen. 'We zijn nu op de hoogte. Meer valt er op dit moment niet over te zeggen. Gisteren was Wieger zo boos. Hij zei dat als de zaak niet snel in de doofpot werd gestopt, hij hier niet langer wilde blijven wonen. Dan solliciteert hij naar werk in een plaats hier ver vandaan.'
Sandrien grabbelt haar spulletjes bij elkaar en gaat staan. 'Dan ga ik met je mee.' Ze schuift haar tas onder haar arm en stopt haar zakdoek in de zak van haar jasje.
Wanneer ze bij de voordeur zijn, blijft Esther even staan. 'Hebben jullie tante Bette de laatste tijd nog weleens gezien? Ik

kwam haar in de stad tegen. Ze zag me niet eens. Ze keek verwilderd. Ik krijg de indruk dat ze problemen heeft met de kinderen. Dat dacht Wieger tenminste.'
Thea werkt hen de deur uit. 'Ieder huisje heeft zijn kruisje, Esther. En vraag me niet waarom. Zolang de wereld bestaat, zal er onrust en oorlog zijn. Dat begon al met Kaïn en Abel. Broederoorlogen, burgeroorlogen, wereldoorlogen en burenruzies. Enfin, laten wij ons verstand erbij houden, meiden.'
Esther geeft Thea een zoen. 'U bent een fijne tante.'
Zo is het, denkt Annerieke.

De ochtend is voor de helft voorbij. Geen van beiden kan ertoe komen iets onder handen te nemen.
'Het zal moeilijk worden tegenover Yalda net te doen alsof er niets aan de hand is,' tobt Annerieke.
Thea denkt dat het allemaal wel zal meevallen. 'Als ik me niet vergis, is het kind gauw jarig. We zullen een feest voor haar organiseren. Lijkt je dat geen goed plan?'
'Afwachten. Met Yalda weet je nooit hoe er gereageerd zal worden.'
'Laten we wat aan de tuin doen, Annerieke. Het gras is veel te lang, en overal in de border staan paardenbloemen. Gelukkig begint het speenkruid al te verdorren.'
Moedeloos sjokt Annerieke achter haar tante de zonnige tuin in. 'Nare bezigheid. Straks gooien de nieuwe bewoners alles eruit en maken ze er een moderne, strakke tuin van, met stenen en tegels. Zo'n graftuin. Ik moet er niet aan denken.'
Thea schopt haar schoenen uit en stapt in kunststoffen klompen. 'Doe dat dan ook niet. Want...' Ze heft dreigend een vinger op. 'Het kan ook heel anders gaan. Wie weet bloeit alles in de tuin volgend jaar nog mooier dan nu het geval is.'

7

TWEE VROUWEN ONDER ÉÉN EN HETZELFDE DAK.
Ze zijn op elkaar gesteld en weten – althans voor een deel – wat de ander bezighoudt. En toch spreken ze zich zelden tot nooit tegen elkaar uit.
Zo denk Annerieke te weten dat Thea diep gekwetst is en waarschijnlijk lijdt onder een onbeantwoorde liefde. Ze is na jaren afgewezen, ingeruild voor een jongere vrouw. Maar ze durft dat onderwerp niet aan te kaarten.
Thea, op haar beurt, leeft met Annerieke mee. Maar meer kan ze niet doen. Jawel, ze bidt voor haar nichtje. Ze probeert haar los te laten. Ze kan moeilijk bidden: Heer, doe dit. Heer, geef dat. Want wie weet wat Gods bedoelingen met hen zijn? Zijn wegen en besluiten zijn voor de mens vaak ondoorgrondelijk.
En nu hebben ze het probleem Yalda erbij. Over haar praten beiden wel vaak.
Dick heeft gebeld en gezegd dat ze op internet een adres gevonden hebben waar jongelui met gedragsproblemen waar die van Yalda sterk op lijken, behandeld kunnen worden. En vaak met succes. Waarschijnlijk is ze in de eerste maanden van haar leven, net als veel afgestane baby's, slecht verzorgd, om niet van verwaarlozing te spreken. Het betekent helemaal niet dat ze ondankbaar zou zijn omdat ze geadopteerd is. Nee, het gaat allemaal veel dieper. Thea zegt: 'Dat kind heeft zielenpijn.'
Yalda wil niets weten van een verjaarspartij. 'Ik zou niet weten wie ik zou moeten uitnodigen. Laten we maar ergens lekker gaan eten.'
Annerieke wil haar iets waardevols geven. Een sieraad. Maar wanneer ze het aankaart, roept de dwarse Yalda: 'Doe mij maar een piercing.'
Uiteindelijk gaat de verjaardag bijna geruisloos voorbij.
Thea heeft zich als taak gesteld het meisje te helpen met haar

studie. Ze bestudeert de agenda, dwingt Yalda haar de boeken te laten zien. Het resultaat is dat Yalda's cijfers met sprongen omhooggaan. Af en toe is het alsof Thea en Annerieke zich maar inbeelden dat er iets met haar aan de hand is.

Totdat er op een zomers aandoende ochtend een meneer op de stoep staat die zich voorstelt als eigenaar van een handel in curiosa. 'Mijn naam is Van Werven, uit de Schoolstraat. Ik wil u graag een paar vragen stellen.'

Thea heeft een vermoeden en nodigt de man uit verder te komen. Hij bedankt voor koffie en haalt een briefje uit zijn jaszak. 'Woont hier een dame die Anna Rieka heet?'

Op dat moment komt Annerieke de kamer in. Ze heeft in de tuin bloemen geplukt. 'Jazeker. Dat ben ik. Bent u van de politie? Heb ik iets misdaan?' Te snel gereden in pappa's wagen? Onzin. Dan had ze dat wel schriftelijk te horen gekregen.

Meneer Van Werven stelt zich nogmaals voor.

'Oei,' zegt Annerieke. 'U komt ons iets vertellen over het schilderij.'

Thea klemt haar handen om de stoelleuning. 'Kijkt u maar naar die kale plek aan de wand.'

Meneer Van Werven schraapt zijn keel. 'Ik kreeg op een wonderlijke manier een schilderij aangeboden, een landschap. De achterkant was beplakt met geruit kastpapier. Ik scheurde dat eraf om te zien wat eronder zat, en ik wilde het doek uit de lijst halen. Ik zal u voorlezen wat er stond, geschreven in een prachtig ouderwets handschrift.' Hij kucht nerveus. "Dit is na mijn sterven het eigendom van mijn kleindochter Anna Rieka.' En in kleine letters onderaan het adres.'

Annerieke spert haar ogen wijd open. 'Van oma, van oma van mijn moeders kant?'

Thea slaat de handen in elkaar.

'Van mijn moeder. Nooit geweten.'

Meneer Van Werven begrijpt dat hij goed heeft gegokt. Hij staat op en zegt: 'Ik zal het uit mijn wagen halen. Moment.'

Ze kijken hem na wanneer hij naar een busje met een verhoogd dak loopt.
Thea meent te weten dat zo'n soort wagentje gebruikt wordt door antiquairs om hoge voorwerpen veilig te kunnen vervoeren.
Thea en Annerieke kijken elkaar aan. Gelijktijdig zeggen ze: 'Yalda.'
Annerieke krijgt tranen in haar ogen. 'Laat het niet waar zijn, Thea.'
Even later staat het schilderij op de bank, tegen de rugleuning. 'Ik ben zo blij dat het terecht is.'
Meneer Van Werven zegt dat hij meteen al vreesde dat het om gestolen goed ging. 'Een jongeman kwam ermee aanzetten, en toen ik hem nakeek, zag ik zijn vriendin. Een uitzonderlijk mooi, jong meisje wachtte naast mijn zaak op hem. Tja, ik kon de prijs niet zonder meer vaststellen, heb hun een kwitantie gegeven en gezegd dat ze later in de week moesten terugkomen. Ik kan u vertellen dat het om heel vroeg werk gaat van een schilder die helaas jong is overleden. Hij had veel vrienden uit de kunstenaarswereld.' Meneer Van Werven noemt een aantal namen die bekend in de oren klinken.
'Als de man langer had geleefd, was hij zonder meer beroemd geworden. Het is moeilijk een prijs vast te stellen. Ik ben nog aan het zoeken naar meer gegevens over hem. Helaas ben ik een paar dagen achteropgeraakt door ziekte. Als u wilt, kan ik doorgaan met zoeken. Maar ik heb de indruk dat u blij bent het doek terug te hebben. Alleen wil ik u adviseren er een andere, meer passende lijst om te doen. En vergeet niet het te verzekeren.'
'Moeders schilderij. Ik zou moeten kunnen nagaan hoe zij aan het doek is gekomen. Kon ik het nog maar vragen.'
Agricola, Johannes Agricola. Thea en Annerieke hebben nooit van de naam gehoord. Toch woont er volgens de antiquair nog familie van de schilder in de stad.

Meneer Van Werven staat op en toont de achterkant van het schilderij. 'Ziet u dat het met zelfklevend papier is afgeplakt? Vast door iemand die Anna Rieka het schilderstuk niet gunde.'
Annerieke schrikt van die woorden.
Thea meent te weten dat het geruite papier vroeger in alle kasten werd gebruikt. 'Misschien vond Kees...,' ze wijst op Annerieke, '...dat was haar vader, het beter dat het stuk verkocht werd en dat de opbrengst verdeeld werd?'
Er valt een onbehaaglijke stilte.
Meneer Van Werven gaat staan. Zijn missie is geslaagd. 'Ik zal toch voor u nazoeken wat de waarde hiervan zou kunnen zijn. Vanwege de verzekering.'
Ze laten de bezoeker uit.
'Die jongelui, zijn dat bekenden? Of is er sprake van inbraak?'
Thea slaat haar ogen ten hemel. 'Dat eerste, denken we. Hartelijk dank, meneer Van Werven, voor de tactvolle manier waarop u gehandeld hebt. Wanneer komt het stel terug om te horen welke prijs u wellicht had willen geven?' Thea maakt een afspraak met de antiquair. Hij zal tegen de jongelui zeggen dat hij nog bezig is met de klus.
'Dan hebt u tijd om maatregelen te nemen.'
'Maatregelen. Maar welke dan? Het is dat we weten dat er met Yalda meer aan de hand is. Anders zou je haar er op een keiharde manier mee confronteren. Vanavond bel ik Dick.'
's Middags wacht Annerieke nog een verrassing. Na de lunch zegt Thea bezoek te verwachten. 'Een makelaar. Ik vind dat we een second opinion moeten hebben. Je hoeft er niet bij te zijn. Ik handel dat met gemak alleen af.'
Annerieke is verbijsterd over het initiatief van haar tante. Ze vindt het een beetje vreemd, dat wel. En ze vraagt zich in alle ernst af of haar broers van dat bezoek op de hoogte zijn.
'Je wilde toch naar Bette?' dringt Thea aan.
'Dat klopt. Zal ik haar vertellen over het schilderij? We kunnen het toch niet geheim houden.'

Thea heeft het doek achter de bank laten zakken. Zolang ze niet weet hoe ze Yalda met haar daad moet confronteren, moet het erop lijken dat het schilderij nog bij de antiquair is. 'Bette zal blij zijn met je bezoek. Onze aandacht voor haar is slechts vervanging voor die van haar kinderen. Neem wat bloemen uit de tuin mee.'

Het is een warme dag. Annerieke heeft geen puf om te fietsen. Ze is dankbaar dat pa's auto nog tot haar beschikking staat.

Wanneer ze onderweg is naar haar tante, krijgt ze het vervelende gevoel dat Thea haar op een lieve manier de deur uit heeft gewerkt. Maar zodra ze bij tante Bette in de woonkamer staat, zijn alle gedachtespinsels naar de achtergrond verdreven. Bette lijkt een ander mens.

Annerieke staat op het punt te vragen of de ruzie is bijgelegd, maar Bette is haar voor.

Ze is gehuld in tenniskleding, een witte rok met dito shirtje. Aan haar voeten heeft ze sportschoenen. Ze omhelst Annerieke en plet bijna de bloemen. 'Kind, ik ben weer gaan tennissen. Geweldig. Niet meer zo vlug als vroeger. Ik tennis met vrouwen van mijn leeftijd. En je gelooft het niet...'

Annerieke krijgt twee zoenen, op iedere wang één.

'...ik heb een baan.'

'Nee!'

'Jawel. Een van mijn nieuwe vriendinnen heeft een hulpbehoevende moeder. Zelf kan ze het niet opbrengen dagelijks getuige te zijn van de aftakeling. Dus zocht ze iemand die betrouwbaar is en niet te jong, om moeder dagelijks bij te staan in de dingen van alledag.'

Annerieke besluit de bloemen zelf maar in het water te zetten. Bette loopt achter haar aan naar de keuken. Ze rebbelt maar door. Veel zal ze niet verdienen, maar ze heeft wat nuttigs omhanden. Ze rukt een fles mineraalwater uit de koelkast en schenkt twee glazen vol. 'IJsklontjes. Ik doe er ijsklontjes in. Lekker met dit weer. Kom, dan gaan we buiten zitten. Onder

de parasol. Om eerlijk te zijn: ik vind het van mijn vriendin wel een beetje gemakkelijk en liefdeloos, zoals ze over haar moeder praat. Maar wie ben ik om dat te zeggen. Die geweldige kinderen van mij zijn geen haar beter.'
Annerieke is oprecht blij voor haar tante. Dat zegt ze ook. 'En als je een invalster zoekt, weet je me te vinden.'
Pas vlak voordat Annerieke aanstalten maakt om te vertrekken, komt ze met het verhaal over het schilderij op de proppen.
Bette woelt met beide handen door haar geverfde haar en slaakt een kreet van schrik. 'Heeft ze zoiets al eerder gedaan? Iets van jullie aan de man gebracht? Ze is toch niet aan de drugs? Tegenwoordig weet je maar nooit. En daar hoef je geen wees voor te zijn.'
'Ik denk het niet. Yalda is niet dom. Ze zit alleen met zichzelf in de knoop. Met wijsheid van deskundigen en liefde van ons allemaal moet er een oplossing komen.'
Dat is Bette met haar eens. 'Blijf nog even. Dan kun je Max gedag zeggen. Ik geloof dat ik hem hoor aankomen.'
Er stopt inderdaad een auto voor het huis.
Bette veert op om haar man te begroeten.
Annerieke volgt haar met trage passen. 'Hoi, oom Max.'
'Ze heeft iets te vertellen. Je wilt het niet geloven, schat.'
Annerieke vertelt nogmaals het gebeurde.
'Jullie hebben veel wijsheid nodig,' vindt Max.
Samen kijken Bette en Max even later de wegrijdende Annerieke na, die benieuwd is wat de makelaar gezegd heeft.

Thea maakt een tevreden indruk. 'Dat jonge ventje van laatst heeft het huis te hoog geschat.'
Annerieke is verbaasd dat Thea daar zo verrukt over is. 'Dat zullen mijn broertjes niet leuk vinden.'
Thea grijnst. 'Afwachten, lieverd.' Ze heeft niet stilgezeten. Ze heeft Dick op zijn werk gebeld en de politie ingelicht dat het schilderij boven water is.

'Hoe je broer reageerde? Woest was hij. Begrijpelijk. Maar niet verstandig, Annerieke. Nu is het niet langer een vraag wie het schilderij, waardevol of niet, zal erven. Ik heb oude foto's bekeken. En wat dacht je? Het stuk hing al bij mijn grootouders in de kamer. En heel vaagjes herinner ik me dat iemand uit de familie een bepaalde kunstschilder heel goed kende. Misschien schiet me nog wel meer te binnen.'
Annerieke vindt het wel goed genoeg zo. Yalda is belangrijker.
'Hoe was ze toen ze thuiskwam?'
Thea kijkt verdrietig. 'Gewoon, zelfs een beetje aardig. Hoe kan ze zo'n dubbelleven leiden?' Daar is het laatste woord nog niet over gezegd.
Thea maakt een lichte avondmaaltijd klaar. Vanwege de warmte heeft niemand echt trek.
'Huiswerk af?' informeert Thea wanneer het toetje is verorberd. Ze klinkt als een rechter die zeker is van haar oordeel.
'Het was vandaag een makkie. Echt waar, Thea. Mag ik naar Chantal? Ze hebben pas een zwembad aangeschaft. Niet zo'n hoog ding, maar een echt, in de grond en zo.' Yalda die toestemming vraagt en niet zonder meer meedeelt dat ze uitgaat.
'Tjonge, geweldig. Dat was Titus ooit ook nog van plan.' Thea heeft onmiddellijk spijt van haar woorden. Ze wordt paarsrood en begint haastig de borden op te stapelen. 'Ik wilde vanavond ook nog even de deur uit. Met Annerieke. Kom jij dan niet te laat thuis, Yalda?'
Ze duwt het meisje de gebruikte borden in de handen. 'Nee, jullie ook niet?'
Annerieke grinnikt om de manier waarop het meisje spreekt.
'Lach me niet uit,' bromt ze.
'Ik lach je niet uit, ik lach *om* je. Mag dat?'

Na de afwas wandelen Thea en Annerieke door de zoele avond naar het huis van Dick en Sandrien. Mensen werken in hun voortuintjes. De merels zingen in de bomen, en op straat

spelen nog kinderen. Vóór hen dwarrelen roze bloesems van de prunussen aan weerskanten van de laan waar Dick en Sandrien wonen.
'Laten we alsjeblieft niet buiten gaan zitten,' zucht Sandrien. 'Dick is momenteel nogal opvliegend vanwege Yalda en haar kuren. De buren hebben niets met onze sores te maken. Zoek maar een plekje in de kamer.'
Het huis van de twee is modern ingericht: strakke lijnen, op elkaar afgestemde kleuren. Annerieke voelt zich er nooit thuis. Ze heeft, wanneer ze er op bezoek is, het gevoel in een soort toonkamer van een woonwinkel te zijn.
Sandrien schenkt frisdrank in en begint meteen over het schilderij. Ze kijkt knorrig. 'Hoewel Dick het niet mooi vindt, had hij het wel willen hebben. Nou ja, om te verkopen. Maar goed, het blijkt dus dat het van Annerieke is. Hoe kom jij aan een wit voetje bij je oma? Was je haar lieveling?'
Dat kan Annerieke zich niet herinneren.
Thea merkt op dat Annerieke naar haar oma is vernoemd. 'De roepnaam werd Annerieke, maar ze heet voluit naar mijn moeder: Anna Rieka. Zo is moeder haar dan ook tot haar dood blijven noemen.'
Dick komt met uitgeprinte vellen papier aan. Hij geeft Thea en Annerieke beiden een exemplaar van wat hij op de computer heeft gevonden.
Ze lezen aandachtig. Het is een aandoening die haar oorzaak heeft in het verleden, en voor een deel erfelijk bepaald is.
'Hoe is het mogelijk? Denk je dat je haar ooit naar zo'n instelling kunt krijgen? Dat ze vrijwillig therapie gaat volgen?'
'Ze zal wel moeten. Ik confronteer haar met de leugens die ze over Wieger en mij heeft verzonnen. Het is kiezen of delen voor haar. Als ze niet meewerkt, trekken wij onze handen van haar af. Zo is het, en niet anders. Als ze een eigen kind van ons was, zouden we net zo handelen. We houden van haar. Met ons gevoel is niets mis, mensen.'

Ze praten er nog lang over en bekijken de zaak van alle kanten.
'Eerst het schilderij. Kunnen jullie dat aan? Zeg maar dat we het in familiekring besproken hebben. Dat we het erbij zullen laten, maar dat we haar allemaal bliksems goed in de gaten zullen houden.'
Thea stelt hem gerust. 'Binnenkort hangt, wanneer ze een keer uit school komt, het schilderij weer op zijn plaats. Ik confronteer haar er meteen mee, en echt, we pakken het serieus aan. Dit is te gek voor woorden.'
Sandrien komt met een fles gekoelde witte wijn aanzetten. 'Om ons te ontspannen, mensen. Proost, op Yalda, onze dochter.'
Even zijn ze alle vier stil. Ze nippen van de wijn.
Dan zegt Dick schor: 'Met liefde moeten we het toch kunnen redden. We kunnen haar niet opnieuw geboren laten worden en als baby alle zorg geven die ze nodig heeft. Wij hebben de volledige verantwoordelijkheid voor haar. Met jullie hulp lukt het misschien haar bij te sturen en de gaten te dichten die in haar ziel geslagen zijn. Maar ja, we hebben wel de ervaring van anderen nodig. Daarom gaan Sandrien en ik morgen naar een stad in de polder. We hebben een afspraak met iemand van die bewuste instantie.'
Heel wijs, vinden Thea en Annerieke.
Thea gaat staan en bedankt voor een tweede glas. 'We moeten thuis zijn voordat Yalda terugkomt. Weten jullie al dat tante Bette een baantje heeft?'
Sandrien en Dick lachen. Bette een baantje?
'Bij een hulpbehoevende oude dame die zo goed als blind is.'
Dick stopt zijn handen in zijn broekzakken en wipt op de bal van zijn voet op en neer. Hij lacht hard. 'Kan ze die rooie kop van tante Bette ook mooi niet zien.'
'Je bent erg grof,' vindt zijn vrouw, en daar zijn de anderen het mee eens.

‘We bellen,’ zegt Thea over haar schouder wanneer ze de kleine voortuin uit wandelen.
Annerieke steekt een arm door die van haar tante. ‘Gezellig zo. Mijn moeder schudde mijn arm altijd van zich af wanneer ik zo wilde lopen als wij nu doen. Dat vond ik altijd zo naar, zo afwijzend.’
Thea drukt de hand van haar nichtje. ‘Ach, jij toch,’ zegt ze.
De spelende kinderen zijn verdwenen, evenals de tuinierende bewoners. De zomergeuren zijn zwaar en zweven op hen af.
‘Nog even en dan bloeien de lindebomen voor ons huis,’ zucht Annerieke.
Thea hoort de spijt in haar stem en raadt al wat ze verder zal gaan zeggen.
‘Wat zal ik dat missen, de komende jaren.’

8

JOHANNES AGRICOLA BLIJKT IN ZIJN KORTE LEVEN veel geproduceerd te hebben, maar is slechts in kleine kring bekend. Tijdens zijn leven was zijn stijl van schilderen niet bepaald in de mode. Toch waagt de antiquair een prijs te noemen die Thea en Annerieke verbijstert.
'Verkopen zal ik het toch nooit,' zegt de bezitster gedecideerd.
Ook blijken Yalda en haar vriendje in de winkel terug te zijn geweest om naar de prijs te informeren. Meneer Van Werven heeft hun gevraagd later terug te komen.
'Nu is het voor mij klaar, dames. Ik wens jullie sterkte bij het vervolg van de geschiedenis.'
Thea hangt na het vertrek van de man het schilderij terug op zijn plaats.
Annerieke kijkt toe. 'Dat het nu van mij is... Als kind liep ik in gedachten altijd dat paadje op. Wat zou er achter dat bosje zijn?'
Thea zegt: 'Ik weet het. Je hebt het me al verteld. Ik denk dat er achter dat bosje nog meer paadjes zijn.'
Het duurt even voordat Yalda na thuiskomst het schilderij ontdekt. Pas wanneer ze aan tafel zitten, valt haar oog erop. Telkens wanneer ze de kale plek zag waar het behang niet verschoten was, had er een schuldgevoel aan haar hart geknaagd. Met volle mond staart ze naar de muur.
'Ja, daar kijk je van op, nietwaar?' zegt tante Thea kalmpjes. 'Al is de leugen nog zo snel, de waarheid achterhaalt haar wel. Ken je dat spreekwoord, lieve kind?'
Met moeite werkt Yalda de zojuist genomen hap weg. Ze wordt rood in haar gezicht, en daarna spierwit.
'En nu ben je zeker verbaasd dat we je bij thuiskomst niet meteen met je daad geconfronteerd hebben, denk ik zo. Wel, ooit van vergevende liefde gehoord? Een kat in nood maakt rare

sprongen. Wel, je krijgt nu de kans om het op te biechten. Je mag ook eerst je bord leegeten.'
Yalda duwt het bord van zich af en kijkt met grote blauwe ogen van de een naar de ander. 'Jullie hebben me in de val laten lopen. Bah, wat misselijk. Ja ja ja, ik had geld nodig. Te veel geleend bij anderen. En hier was toch steeds ruzie om dat stomme schilderij. Wie wil zoiets nou hebben?'
Het is alsof Yalda liever een bestraffende preek had gehad dan woorden van vergeving en liefde.
'Je zou je verontschuldigingen kunnen aanbieden. Daarmee is de kous af,' zegt Annerieke, nadat ze haar bord heeft leeggegeten.
Yalda raast nog even door. Iedereen wil haar vernederen. Laten voelen dat ze niets en niemand is. Ze wordt immers nooit serieus genomen.
Thea legt haar het zwijgen op. 'Luister goed, ik wil één ding zeggen. En dan praten we er nooit meer over. Als iemand een wanhoopsdaad pleegt, komt dat meestal doordat hij of zij met de rug tegen de muur staat en geen uitkomst meer ziet. In zo'n soort stemming heb jij ervoor gezorgd dat het hier op een inbraak leek. Voor ons is de belangrijkste vraag hoe je tot die daad gekomen bent, waarom je zo in de put zat. In het vervolg kom je bij een van de volwassenen met wie je te maken hebt, bij je ouders, bij Annerieke of bij mij. Je mag er wel over praten. Graag zelfs. Maar weet dan dat we het je vergeven. En dat is gemeend.'
Yalda begint te huilen. Zelfs wanneer ze huilt, is ze nog een beauty.
Annerieke staat op en slaat haar armen om haar heen. 'Wees blij dat het schilderij terecht is. En straks, wanneer we koffie drinken, vertel jij ons waarom je zo veel geld nodig hebt.'
Wanneer Sandrien en Dick horen hoe genadig Yalda ervan afgekomen is, zijn ze verontwaardigd. Het kind had straf moeten hebben, huisarrest of wat dan ook.

Thea laat hun woorden voor wat ze zijn. 'Wie van u zonder zonde is, lieve neef, werpe de eerste steen.'
'Wat weten vrouwen die geen kinderen hebben, nu van opvoeding, discipline, structuur?'
Die woorden doen tante Thea duidelijk pijn. Met tranen in de ogen wendt ze zich van Dick af. Over haar schouder kijkend zegt ze: 'Binnenkort krijg je haar weer thuis. Daar gelden jullie regels, maar hier die van ons.'
Na het gebeurde is Yalda wat stilletjes en doet ze haar best op school, wat Annerieke doet denken dat de affaire toch ergens goed voor is geweest.

Wat een gemak voor een zoekend mens: internet. Annerieke vindt op die manier het een en ander over de geheimzinnige Johannes Agricola. Hij blijkt inderdaad in de buurt te hebben gewoond, en waarschijnlijk is hij als plaatsgenoot op een of andere wijze in contact geraakt met Thea's moeder. Ze vindt in het telefoonboek inerdaad een Agricola, maar of die mensen familie van Johannes zijn... 'Dat moet bijna wel,' denkt ze hardop. Ze schrijft de naam van de straat en het huisnummer op een papiertje en neemt zich voor er eens langs te rijden. Niet dat ze van plan is – mocht de hedendaagse Agricola familie van de kunstschilder zijn – het schilderij aan hem over te doen. Nu ze zeker weet dat het haar toekomt, bekijkt ze het met een nieuw gevoel. Wanneer Thea op een middag aankondigt een oude kennis op bezoek te krijgen, besluit Annerieke op de fiets te stappen en langs het huis van Agricola te rijden, puur uit nieuwsgierigheid. Het is een heerlijke voorzomerse middag. Er staat een zacht briesje, dat voor even alle beslommeringen uit haar hoofd lijkt te waaien: de verkoop van het huis, Yalda en haar problemen, de vraag waar ze zelf moet gaan wonen...
De straat waar D. Agricola woont, bevindt zich in een villawijk. De huizen zijn tamelijk nieuw, en er wordt nog steeds

bijgebouwd. Annerieke verbaast zich over de verscheidenheid aan woningtypen. Hun eigen huis komt haar opeens sterk verouderd voor, maar wat zou ze er graag tot het einde van haar leven willen wonen. Laan van Lieren, heet de straat. Nieuwe huizen, gebouwd op grond die vrijgekomen is doordat er oude huizen zijn afgebroken. Dat is te zien aan de stoere bomen die aan weerszijden van de laan staan, hun kruinen met elkaar verweven. Ze snuift de vertrouwde geur van lindebloesem op. Het huis van D. Agricola is bij wijze van spreken nog nat van de verf. Annerieke stapt af en bekijkt het pand van onder tot boven, niet wetend wat haar nu te doen staat. Een klein eindje verderop ontdekt ze een bankje. Van daar kan ze het huis bestuderen, in de hoop dat er toevallig iemand naar buiten komt. In gedachten repeteert ze de manier waarop ze het beste contact kan maken. Ze schrikt wanneer er een oudere dame aan komt wandelen, leunend op de stang van haar rollator.

Ze blijft vlak bij Anneriekes fiets staan. 'Zo zo, ik zie dat mijn bankje bezet is.'

Annerieke schuift welwillend naar het uiteinde van de zitting. 'Plaats genoeg,' lacht ze vriendelijk.

De oude dame beantwoordt Anneriekes glimlach. 'Iemand die alleen is zoals ik, houdt er wel van een babbeltje te maken.' Ze is buiten adem, geurt naar eau de cologne en bekijkt Annerieke belangstellend.

Opeens duiken er twee poezen op, die bij de dame blijven staan en haar vragend aankijken.

'Die twee wandelen altijd met me mee. Trouw als honden. Kom maar, jongens, er is plaats genoeg.' Met gemak springen ze bijna gelijktijdig op de bank, snorren en bedelen om aandacht.

Annerieke streelt de cyperse kat met één vinger en kriebelt hem achter de oren. Het is niet moeilijk met de dame op leeftijd te converseren. Uiteindelijk waagt Annerieke de vraag te

stellen die haar bezighoudt: of mevrouw iets weet over de familie Agricola.
'Best wel. Je bent zeker een van de sollicitanten?'
Annerieke wil ontkennen, uitleggen wat de relatie met de achternaam is. Maar het mevrouwtje babbelt door.
'Daan – ik kende zijn ouders heel goed – is altijd op zoek naar mensen met goede stemmen. Hij heeft het voor het zeggen in zo'n instituut waar ze boeken voor blinden en slechtzienden opnemen. Het schijnt niet mee te vallen door de selectie te komen. Maar weinig mensen hebben een echt goede stem.'
Mevrouw is buiten adem van de lange zin en wacht op een reactie.
Hm, ja. Een sollicitatie is een binnenkomertje, denkt Annerieke. Ze zegt niet veel te weten van wat er zoal in de blindenbibliotheek gebeurt.
'Het is vrijwilligerswerk,' zegt mevrouw. 'Ik denk dat ze jou best kunnen gebruiken. Je hebt geen accent en je spreekt duidelijk. Ik ben iets doof aan beide kanten, weet je. En dan maakt het verschil of iemand duidelijk spreekt.'
Annerieke knikt en denkt heftig na. Vrijwilligerswerk kan vaak een opstapje zijn naar iets vasters. Het is altijd te proberen. Ze kan moeilijk aanbellen en vragen of Johannes Agricola Daans grootvader is. Ze kijkt haar buurvrouw aan en formuleert haar vraag zo simpel mogelijk. 'Kan het zijn dat hij familie is van de kunstschilder Johannes Agricola? Ik weet alleen dat deze man hier in de omgeving gewoond moet hebben.'
Raak. Jawel, Daan is de kleinzoon van Johannes. 'Ik heb nog een schilderij dat hij mij en mijn man op onze trouwdag heeft geschonken. Een prachtig landschapje. Zo maken ze die tegenwoordig niet meer. Schaapjes op de heide. Zo'n geheimzinnig paadje met berkenbomen.'
Annerieke krijgt plezier in het gesprekje. Het lijkt erop dat meneer Agricola hetzelfde onderwerp vaker heeft geschilderd.

Een van de katten springt op Anneriekes schoot en stampt met zijn voorpootjes op haar bovenbenen, de nagels bepaald niet ingetrokken. 'Gooi hem er maar af, kind. Joris is een allemansvriend.'
Ze rommelt in haar handtas en houdt Annerieke even later een aangebroken rol pepermunt voor. 'En dan ga ik maar eens verder. Succes met je sollicitatie. Misschien zien we elkaar nog wel een keer.'
Annerieke kijkt haar na. Het valt zo te zien niet mee ouder te worden. Ze denkt aan haar ouders, aan hun leeftijdgenoten. Ieders voorland: je verliest je partner, je kunt niet meer buiten een rollator en hulp van anderen... Opeens is ze dankbaar voor haar gezondheid, haar jeugd. En nee, ze heeft nog niet de moed om bij Daan Agricola aan te bellen en zich als vrijwilligster aan te bieden. Eerst maar eens overdenken.

Wanneer ze thuiskomt, is het bezoek van Thea vertrokken. Ze vindt haar tante in de kamer. Ze zit op een eetkamerstoel, de armen op tafel, boven op een krant. Haar hoofd heeft ze in de armen verborgen. Haar schouders schokken. Annerieke weet even niet wat ze moet doen. Thea is altijd zo sterk. Zou ze wel willen dat Annerieke haar in deze houding ziet? Ze klemt een hand stijf om de knop van de deur.
Thea schrikt op door de onverwachte vlaag tocht die uit de gang komt. Ze draait zich om en wanneer ze Annerieke ziet, wuift ze achteloos met één hand. 'Ik zie dat je van me schrikt. Niet nodig, kind. Momentje van zwakte.'
Annerieke duikt op haar af en legt beide armen om haar schouders. 'Lieverd, je mag me vertellen wat je dwarszit. Ik denk altijd dat je me niet als een gelijke ziet, dat je me te jong vindt om naar je te luisteren, echt te luisteren.'
Thea herstelt zich wonderbaarlijk snel. Ze lacht, veegt met de rug van een hand de tranen van haar wangen. 'Ik was even uit mijn doen. Mijn vriendin dacht me blij te maken met een

krantenartikel. Er staat een foto van hem in. Van Titus, bedoel ik. Lees zelf maar. Ik ga even wat fris halen. Jij ook een glas?'
Annerieke ploft op een stoel en trekt de krant naar zich toe. Het artikel gaat over prehistorische akkers en paden op de Veluwe. Er is een nieuwe techniek, laserfotografie, die van alles wat diep in de grond verborgen ligt, kan vinden en fotograferen. Oude sporen van bewoning zijn gevonden. Grafheuvels, raatakkers, ijzerwinning uit de tijd van Karel de Grote en middeleeuwse karrensporen. Wegen en paden. Een foto van een glunderende Titus. In de omgeving waar hij woont, zijn zogeheten *celtic fields* gevonden, resten van een grote ijzerindustrie uit de negende eeuw.
Anneriekes ogen vliegen langs de regels. Ze vindt het best interessant allemaal. Er worden plaatsen genoemd waar ze ooit is geweest: de Asseltse heide bij Hoog-Buurlo, de Hunneschans bij het Uddelermeer. Daar zouden onder meer ijzerkuilen te vinden zijn. Hoe boeiend het allemaal ook is, het belangrijkste is de foto van Thea's ex, van Titus.
Thea komt met een opgefrist gezicht de kamer in, in beide handen een glas sap waarin de ijsklontjes rinkelen. 'Zo, je begrijpt dus mijn moment van ontreddering. Het verbaast me dat die vriendin niet genoemd wordt. Enfin, weg met die krant.' Ze gaat zitten en probeert manhaftig opgewekt over te komen. 'Het zit me dwars, lieve kind, dat jij denkt dat ik je als gesprekspartner niet zou respecteren. Je moest eens weten. Ik doe voor mezelf mijn best om wat achter me ligt, daar te laten, mezelf niet te kwellen met wat fout is geweest, mijn verkeerde beslissingen. Stel dat ik honderd wordt, voor mijn part negenennegentig. Dan heb ik nog vele jaren te gaan. En die tijd wil ik zinnig gebruiken. Maar ja, iedereen heeft zo zijn zwakke momenten. Dan komen de herinneringen aan je fouten als kleine duiveltjes op je schouders zitten, en ze willen maar één ding: in je hoofd kruipen. Als ik over alles zou gaan praten, worden nare gebeurtenissen bijna tastbaar. Denk nu

niet dat ik aan de periode-Titus alleen verdrietige herinneringen heb. Nee, een mens kan onmogelijk mijn leeftijd bereiken zonder ooit klappen te hebben gehad of gestruikeld te zijn over verkeerde beslissingen. Ik wil zelf de regie over mijn leven blijven voeren, niet de slaaf van het verleden zijn. Maar je mag weten dat ik erg geschrokken ben van die krant. Ik was blij toen mijn vriendin opstapte. Zo, en nu praten we over iets anders. Yalda bracht vandaag prima cijfers mee. Ik zou willen dat ik haar onder mijn hoede mocht nemen. Zeker weten dat ik het beter zou doen dan Sandrien en je broer.'
Later op de avond ziet Annerieke dat Thea niet van plan is de krant weg te gooien. Ze vouwt hem op en schuift hem onder haar vest dat ze van een stoel heeft gepakt. 'Morgen krijgen we een drukke dag. Laten we maar vroeg gaan slapen.'
Annerieke rommelt nog wat in de kamer, schudt de kussens van de bank totdat ze bol zijn, voelt met één vinger op de aarde van de planten of ze water nodig hebben. Maar nee, met een mens als Thea in huis is die zorg overbodig. Pas wanneer ze in bed ligt, probeert ze te bedenken waarmee ze morgen zo druk zouden zijn.

Dat merkt ze pas tegen twaalf uur, wanneer ze met Thea bezig is de lunch klaar te maken. Telefoon.
Thea lijkt het verwacht te hebben.
'Prima,' is alles wat Annerieke te horen krijgt.
Nog weer later – ze hebben net de afwas klaar – rinkelt opnieuw de telefoon. Deze keer is het Dick.
'Geweldig. Ik zal je zus roepen.'
Annerieke droogt haar handen langs de zijkanten van haar spijkerbroek en kijkt Thea vragend aan.
Nee, het gaat niet over Yalda. 'Het huis,' fluistert ze.
Dick is kort. 'Er is een serieuze koper. De prijs is lager dan we verwacht hadden, maar toch... Wieger vindt het aanvaardbaar, en ik ben het ermee eens. We happen niet meteen toe. Er

wordt eerst nog heen en weer gespeeld. Zo noem ik het maar. Ben je het ermee eens?'
Annerieke zegt geen snars verstand van deze zaken te hebben, maar haar broers in dezen volkomen te vertrouwen. 'Mijn zegen heb je.' Ze dwingt zichzelf tot beheersing. Als Thea dat kan, lukt het haar ook wel. Nu moet ze op zoek naar een ander onderkomen en werk zien te vinden. Niks geen vrijwilligersbaantjes...
Thea is de opgewektheid zelf. 'Het is zulk prachtig weer, Annerieke. Waarom ga je niet eens lekker zwemmen? Je had toch zo'n leuke bikini, zei je zelf?'
Alsof ze wordt weggestuurd. Maar Thea weet haar zo te stimuleren dat ze warempel zin krijgt. Nu de schoolvakanties nog niet zijn begonnen, is het vrij rustig in het zwembad, neemt ze aan. Zo verstrijkt de rest van de dag. Lichtelijk verbrand komt ze tegen vijf uur thuis. Ze vindt Thea in de keuken. Zo te zien zijn Titus en de krant vergeten.
'Dick belde. Of je hem wilt terugbellen.'
Goed nieuws. De aanstaande koper heeft nog iets aan het bod gedaan, en zo zijn ze tot een overeenkomst gekomen. 'Ik ben zo vrij geweest een afspraak te maken. De notaris moet eraan te pas komen en zo. De overdracht. Enfin, ik ben benieuwd wie het huis wil hebben. Het heeft bepaald niet storm gelopen. Terwijl we dachten dat er meteen belangstelling zou zijn. Maar wat wil je? Er is renovatie nodig, en die kost wat.'
In gedachten loopt Annerieke door de vertrouwde woning. Ze neemt afscheid van de kamers en van heel veel meer.
Yalda komt thuis en schrikt flink wanneer ze hoort dat het huis zo goed als verkocht is. 'Dan moet ik terug...' Tot verbazing van de twee vrouwen barst Yalda in een kinderlijke huilbui uit. Ze is bijna niet tot bedaren te brengen. Ze klemt zich als een drenkeling aan Thea vast en roept onverstaanbare dingen.
Wanneer ze wat rustiger wordt, schenkt Thea haar een glas

water in en duwt ze haar de kamer in. 'Laten wij eens met z'n drietjes praten als volwassenen, van vrouw tot vrouw.'
Yalda bekent dat ze zich door Sandrien en Dick, haar pleegouders, vaak zo vernederd voelt. 'Ze zeggen het niet met die woorden, maar ze vinden dat ik hun meer dank verschuldigd ben en dat ik die door mijn gedrag moet laten blijken. Jij, Thea, en ook Annerieke, zijn zo anders. Hier mag ik af en toe een steekje laten vallen zonder dat er meteen geroepen wordt dat ik broddel.'
Thea zegt dat ze op slag een visioen krijgt van haar eerste breiwerkje. 'Rood katoen, te strakke steken... Ik wist niet eens wat ik breide. Wel dat ik telkens naar de juf moest wanneer er weer een steek gevallen was. Dan liet ze me doorbreien tot de plaats des onheils. En dan zei ze ook nog dat ik niet zo strak moest breien. De steken knerpten nog net niet op de naald. Zweethandjes had ik. Het kind dat naast me zat, voorspelde dat ik het vast nooit mee naar huis mocht nemen. Later bleek het rode ding een pannenlap te zijn geworden. Broddelwerk. Om kort te gaan, mijn moeder heeft hem nooit gebruikt in de keuken. Typisch dat één woordje zo veel in een mens kan losmaken.'
Yalda lacht schaapachtig. 'Ik kan niet eens breien.'
Annerieke wacht op een enthousiaste kreet van haar tante met ongeveer de woorden: 'Dan leer ik je het toch.' Gelukkig blijft die aanbieding achterwege.
Thea trekt Yalda dicht tegen zich aan. 'Luister goed, meisje. Nog even, en dan ben je volwassen, sta je op eigen benen, kun je je eigen keuzen maken. Probeer het slotstuk van je jeugd waardevol te maken. Wij helpen je daarbij. Want we houden van je. Tja, je hoeft echt niet hetzelfde bloed te hebben om van iemand te houden. Annerieke en ik zullen er altijd voor je zijn. Maar Sandrien en Dick hebben voor jou gekozen. Jij wel niet voor hen, maar een kind heeft niets te kiezen. Je neemt je voor het die twee niet extra zwaar te maken. Het zijn mensen met

fouten en met pluspunten, zoals iedereen. Jij bent ondertussen oud en wijs genoeg om je gedrag bij te stellen, je buien zelf af te wijzen. Ben je boos of weet ik wat? Stel je reactie uit, overdenk wat je zou willen zeggen en giet het in een vorm die hanteerbaar is. Kun je wat met die adviezen?'

Annerieke laat hen alleen. Ze gaat naar de tuin om in alle stilte een deuntje te huilen. Afscheid nemen, valt zoiets te leren? Hoelang duurt het voordat de kopers de sleutel krijgen? Ze heeft het gevoel op een zes- of zevensprong te zijn beland en niet te weten welke weg ze moet kiezen. Nou ja, ze bidt natuurlijk om leiding. Kwam er maar een advies, klaar en duidelijk, zoals op de TomTom, het navigatiesysteem, is af te lezen. 'Op de rotonde de tweede weg rechts. U nadert de afslag om op de snelweg te komen.' Nou ja, wanneer er storing in het systeem is, heb je op slag niets meer aan het ding. Ze glimlacht door haar tranen heen. Vergelijkingen gaan nooit echt op. Gelukkig dat God een Bijbel heeft gegeven, en niet een elektronisch apparaatje. Ze recht haar schouders. Ze hoort door de openstaande deuren Thea en Yalda samen om iets lachen. Vertrouwen, wat is dat moeilijk. Kon je maar een levensweg uitstippelen die je goeddunkt en dan aan God vragen om een contract, met handtekening. Positief blijven, die raad geven psychologen in tijdschriften hun wanhopige lezers vaak. Het valt te proberen. Ze heeft binnenkort dan wel geen huis meer, maar nog wel wat meubels. En ook nog eens een schilderij met handtekening. En een dak boven haar hoofd, ach, dat zal ook nog wel komen, toch?

9

DIEZELFDE WEEK NOG BELT DE MAKELAAR OM EEN afspraak te maken om de nodige papieren te tekenen.
'Je gaat toch mee, Thea?' huivert Annerieke.
Zeker gaat Thea mee. Ze lacht. 'Dacht je dat ik me zo'n plechtigheid laat ontnemen?'
Yalda belooft iets lekkers bij de bakker te halen. Ze heeft die middag vrij, en buiten het maken van wat huiswerk heeft ze alle tijd.
Thea stopt haar geld in de hand. 'Haal een grote taart. Met van alles erop. Je weet wel.'
Annerieke kleedt zich speciaal voor de gelegenheid. Een keurig weinig gebruikt pakje, haar begrafeniskleding. Wel, zoiets is het vandaag toch ook? Ze gaat haar huis verkwanselen. De bijbehorende bloes is schoon, maar wanneer ze hem wil aantrekken, ziet ze dat de kraag geel is geworden. Dan maar een hemd met een kantje voor onder het jasje, besluit ze.
'Tjonge, wat plechtig,' plaagt Thea wanneer Annerieke de trap af komt. Zelf heeft ze een vrolijk gebloemde zomerjurk aan, en haar schoenen met platte hakken zijn verwisseld voor elegante pumps. Thea rijdt en weet de weg naar de makelaardij met gemak te vinden. Voor de zaak is nog één parkeerplaats vrij, die Thea vlak voor de neus van Dick inpikt.
'Wat moet dat? Heeft Annerieke een oppas nodig? Toe, tante Theodosia, ga even ergens anders staan, zodat ik kan parkeren. Jouw aanwezigheid is immers geen noodzaak. Ga toch lekker winkelen.'
Esther en Wieger komen gearmd aangekuierd en wijzen Dick op een andere parkeerplaats, vlak achter het gebouw. 'Hoe meer zielen, hoe meer vreugd, tante.'
Wanneer het gezelschap zich naar binnen begeeft, komt een vriendelijke vrouw op hen af gestapt. Ze begroet hen en

brengt hen naar een kleine vergaderzaal. Prominent aanwezig is een glimmende mahoniehouten tafel van robuuste afmetingen. Midden op het tafelblad staat een dienblad met flesjes water en glazen. 'Meneer komt zo dadelijk. Hij is even opgehouden vanwege een belangrijk telefoontje. Kan ik u koffie of thee aanbieden?'

Dick antwoordt voor hen allen. 'Koffie graag.'

Wanneer de dame verdwenen is, vraagt hij zich hardop af waar de 'tegenpartij' blijft.

Tegelijk met de secretaresse, die een volgeladen blad torst, komt de makelaar binnen. De panden van zijn colbert fladderen achter hem aan. Onder zijn linkerarm vervoert hij een stapel paperassen. De rechterhand steekt hij naar iedereen uit om hun de hand te schudden.

Terwijl er de nodige onnozele wetenswaardigheden worden uitgewisseld en er af en toe geforceerd wordt gelachen, is het Annerieke alsof ze op alle fronten krimpt. Ze voelt zich als een kind dat wil wegkruipen voor de visite van zijn ouders.

Wanneer Dick zijn kopje leeg heeft, stelt hij de vraag die hem op de lippen brandt. Waar blijft de koper? Of moet er nog iets besproken worden waarmee die persoon niets te maken heeft?

De makelaar schraapt zijn keel. Zijn blikken glijden langs het gezelschap.

Annerieke krijgt een knikje alsof hij haar wil geruststellen.

De makelaar verschuift de papieren die voor hem liggen, en hij kucht nogmaals alsof hij op het punt staat voor een groot publiek een rede af te steken. 'Meneer Atema, de koper is een vrouw, een koopster dus. En misschien is het een verrassing voor u – dat lijkt het mij althans –, maar ze is al enige tijd onder ons.'

Dick kijkt onzeker om zich heen.

Wieger begint te grinniken, eerst aarzelend, maar al snel gaat dit over in een uitbundig schateren. Hij pauzeert even om zijn vrouw iets in het oor te fluisteren.

Opeens lacht de makelaar mee. Hij wijst op Thea, die met een volmaakt kalm gezicht de situatie overziet.
'Het is duidelijk voor u allen een verrassing wie de koopster is. Het is mevrouw Theodosia Atema, momenteel woonachtig in...'
Zijn woorden worden overstemd door die van Dick en Sandrien. Allerlei verwijten en vragen worden ongegeneerd op Thea afgevuurd. Alsof iedereen in actie komt, zoals bij het aanhoren van een erfenis in een ouderwetse B-film.
Annerieke is de enige die doodstil zit. Ze voelt de warme hand van Thea over de hare glijden en het is alsof ze nu groeit. Bevrijding? Schor zegt ze, dwars door het gekakel heen: 'Maar waarom heb ik het niet mogen weten?'
Thea kijkt haar liefdevol aan. 'Tja, stel je voor dat je je versprak. En is het de verrassing niet waard geweest?'
De makelaar moet moeite doen om het gezelschap tot de orde te roepen. Hij begrijpt hun verrassing en geeft de secretaresse een seintje om nieuwe koffie te brengen, deze keer met een plakje cake.
Eindelijk kalmeren de gemoederen.
Thea zit als een koningin op haar stoel, rechtop, met een kalme blik in haar ogen.
Het duizelt Annerieke. Het huis is nu van haar tante, die haar niet op straat zal zetten. Integendeel. De rollen zijn van het ene moment op het andere omgedraaid. Die van gastvrouw en haar gast. Enfin, de broers hebben hun zin. Zeer binnenkort worden hun rekeningen gespekt.
Eenmaal buiten, in de warme zonneschijn, lijkt het er even op dat Thea het nogmaals moet ontgelden. De waaroms vliegen haar om de oren. 'Dit is geen plek om te gaan bekvechten. Jullie zijn straks welkom om te helpen een taart op te maken. Ik had wat meer waardering van mijn neven verwacht. Per slot van rekening was ik de enige gegadigde.' Kalm loopt ze met geheven sleutelbos naar de auto.

'Ik lach me letterlijk slap. Die tante.' Annerieke kijkt Esther dankbaar aan.
'Alles komt goed, meid. Plezier met jullie taart.'
Het blijkt dat niemand tijd heeft om mee naar huis te gaan. Annerieke is er blij om.
'Gaat het, kind?' informeert Thea terwijl ze door het centrum rijden. 'Ben je de schok te boven?'
Annerieke knikt van ja, maar dat is een leugen. Er spoken allerlei gedachten door haar hoofd.
Thea moet haar aandacht op de weg houden. Een begrafenisstoet met veel volgwagens steekt de straat over. Even later worden ze geconfronteerd met een versierde bruidswagen met de nodige gasten in hun gevolg.
Annerieke zucht en verwacht niet anders dan een filosofische opmerking over de zin van het leven.
Maar Thea zwijgt. Tot ze thuis zijn. 'Dat was dan dat. Zou Yalda woord gehouden hebben?'
Dat heeft Yalda. Ze heeft hen zien aankomen.
Annerieke wil vragen wat er aan de hand is.
Yalda is zichzelf niet. Ze staat in de deuropening en kijkt naar Thea en Annerieke alsof ze hen voor het eerst ziet. Ze opent haar mond en sluit hem weer.
Thea duwt haar opzij, zodat ze naar binnen kunnen.
Buiten adem, alsof ze een eind gehold heeft, hijgt Yalda: 'Er is bezoek voor je, Thea.'

Annerieke en Thea zijn nog maar net de straat uit gereden, wanneer Yalda zich naar de banketbakker haast. Met een enorme slagroomtaart in haar ene hand weet ze veilig thuis te komen. Ze manoeuvreert haar fiets met één hand door de tuin en daar wacht haar een verrassing.
Op het terrasje, tussen de potten met bloeiende eenjarigen, zit een haar onbekende man.
'Feestje?' lacht hij, en hij springt op om de taart van haar over

te nemen. Hij zet de taart op tafel en steekt een hand uit om zich voor te stellen. 'Mijn naam is Peter Daniëls, en ik ben op zoek naar een mevrouw van middelbare leeftijd die volgens mijn bronnen hier zou wonen.'

Yalda kijkt van de taartdoos naar de jongeman, die zo te zien maar iets ouder is dan zijzelf.

'Ik zou niet weten wie je bedoelt. Ik logeer hier bij een nicht, Annerieke...'

Peter kijkt op Yalda neer en vraagt naar de leeftijd van de nicht. Zijn donkerblauwe ogen dringen zich in de hare. Zo voelt het.

'Wat heb jij daarmee te maken? Annerieke is nog geen dertig, nee, jonger.'

Peter kijkt teleurgesteld. Het is alsof er opeens een wolk boven zijn hoofd is neergedaald. 'Ach,' is alles wat hij zegt.

Yalda wil hem negeren. Anderzijds heeft deze Peter wel iets. Hij is absoluut rijper dan de jongens die ze van school kent. En toch ook weer niet sloom als de jonge volwassenen die ze heeft ontmoet. 'Waarom wil je dat weten?' vist ze. Peter wijst naar de taartdoos. 'Die zou ik maar gauw in veiligheid brengen, als ik jou was. Straks is hij bedorven of zo door de zon.'

Yalda knikt, pakt de doos en ziet dat er in de koelkast niet bepaald genoeg ruimte is voor een doos van deze omvang. Ze schuift en propt de inhoud zo dat er met veel moeite voldoende plek is.

Peter is haar nagelopen en geeft ongevraagd advies. Wanneer hij de flessen frisdrank in de deur ziet staan, vraagt hij vrijmoedig om een glas met het een of ander. 'Die tonic vind ik wel lekker.'

Yalda schenkt twee glazen in en wijst naar het terrasje.

'Laten we buiten gaan zitten. En vertel dan maar eens precies waarom je iemand zoekt die hier zou moeten wonen.'

Peter drinkt eerst zijn glas tot de bodem leeg en grijnst. 'Ik ben geadopteerd, meteen na mijn geboorte.'

Yalda laat haar glas bijna vallen. 'Ik ook. Alleen weet ik geen details. Jij wel?'
Peter kijkt haar verrast aan. 'Wij hebben dus iets gemeen. Wat grappig. Nou, ik heb een beste jeugd gehad. Enig kind, kon goed meekomen op school, tot vreugde van pa en ma. Vakanties, sportclubs, spullen voor de computer of een gave fiets, de lijst positieve dingen is eindeloos.'
Yalda vouwt haar voeten om de poten van de stoel. 'Ik benijd je. Dan heb ik het heel wat slechter. Ik logeer niet voor niets bij mijn nichtje. Nou ja, eerlijk gezegd maak ik het thuis ook weleens te bont. Liegen is zo leuk, weet je. Alleen wijten ze mijn, eh... kronkels nu aan het feit dat ik geadopteerd ben.'
Peter knikt. Hij herkent niets van hetgeen Yalda vertelt. 'Mijn adoptieouders zijn overleden. Vlak na elkaar.'
Tot haar schrik ziet Yalda dat Peters ogen vollopen.
Hij geneert zich niet voor de tranen die over zijn gebruinde wangen biggelen. 'Ik snuffelde in hun papieren. Iemand moest ze immers sorteren en opruimen. Toen kwam ik correspondentie tegen. En ik vond de naam van de vrouw die mijn biomam moet zijn.'
Yalda zet grote ogen op. 'Dat meen je niet. Bofferd dat je bent. Kun je achterhalen waarom ze je gedumpt heeft? Waarom dacht je dat het iets met Annerieke te maken heeft? Die kan op haar derde of vierde jaar geen kind hebben voortgebracht.'
Peter veegt met de rug van zijn hand over zijn wangen alsof hij een lastige vlieg wegjaagt. 'Achternaam, woonplaats, dat soort dingen. Atema...'
Yalda verschiet van kleur. 'Er zijn meer Atema's buiten Annerieke. Zo logeert hier op het moment een tante van Annerieke. Die is denk ik ongeveer zestig jaar. Lief mens. Ze helpt me mijn evenwicht terug te vinden.'
Peter springt op. Waarom heeft ze dat niet meteen gezegd?
Yalda kijkt hem wantrouwend aan.
'Kon ik weten waarom je dat straks vroeg. Wat denk je? Zou

tante Theodosia jouw biologische moeder kunnen zijn? Dat mens is zo degelijk als wat. Ik geloof niet dat ze ooit een kind heeft gekregen. En ze zou het ook nooit hebben afgestaan. Zo is ze niet. Heel principieel, weet je. Antiek bijna.'
Peter kan niet langer blijven zitten. Hij banjert over het terrasje, het tuinpad op en terug. 'Je snapt toch wel dat ik haar moet zien, haar moet spreken en erachter moet proberen te komen of ze het echt niet geweest kan zijn. Heeft ze ook zusters?'
Yalda volgt hem met haar ogen. Leuke vent, sportief gekleed. Bruin ook, alsof hij in het buitenland heeft gezeten. Ze ziet dat hij nerveus is. Er trilt een spiertje bij zijn ene oog. 'Jawel, tante Bette. Maar die is getrouwd. Man, kinderen, kleinkinderen, de hele reutemeteut. Lijkt me niet dat zij je moeder zou kunnen zijn. Maar je kunt niet weten. Ik zal een paar foto's halen. Annerieke heeft trouw alle foto's die ze maakte of kreeg, in albums geplakt.'
Yalda toont eerst de familie van tante Bette.
Peter haalt hulpeloos zijn schouders op. 'Ik zie niks bekends. Ik voel ook niks. Wie is dat dan?' Hij buigt zich dieper over het album.
'Dat is tante Theodosia. Tegenwoordig laat ze zich gewoon Thea noemen. Ze heeft een heel andere kleur ogen dan jij. Alleen het haar... Dat van haar is donkerder dan dat van jou, maar misschien verft ze het. Het is van dezelfde structuur.'
Peter luistert niet eens. Hij bladert verder, staart af en toe naar een afdruk, en wanneer hij bij de lege pagina's aankomt, sluit hij het boek. Hij legt het teleurgesteld op tafel.
'Als ik ook maar zou denken dat zij het zou kunnen zijn, eiste ik een DNA-onderzoek. Uiteindelijk wil je weten wie je ouders zijn. Wie weet zitten er ziekten in de familie, of misdadigers.'
Yalda verschiet van kleur. 'Of mensen met een psychische tic, zoals ik geërfd schijn te hebben.'
'Sorry,' roept Peter, 'ik wilde je niet kwetsen. Misschien is het

ook beter als je niets weet. Het is alleen: ik kan niet stoppen met erover na te denken. Het zal wel komen doordat ik niemand meer heb die me na staat. Ja, ik mis pa en ma ontzettend, ook al woon ik al jaren op mezelf.'
Yalda vergelijkt hun levens en stelt vast dat Peter het met zijn pleegouders beter heeft getroffen dan zijzelf.
'Thea zal zo wel thuiskomen. Ik moest gebak halen omdat dit huis hier – het is van Annerieke en haar broers – verkocht is. Nou, dat moet gevierd worden. Kom, dan gaan we in de kamer zitten. Kunnen we op de straat kijken of ze er al aankomen. Ik zou ook vast koffie kunnen zetten, voor bij de taart.'
Ze gaat Peter voor naar de woonkamer.
Hij kijkt waarderend om zich heen. Het is niet zoals bij zijn ouders, maar het vertrek straalt warmte en gezelligheid uit.
'Ga zitten, joh. Dan ga ik even in de keuken koffiezetten.'
Yalda vult de koffiekan met water en giet de inhoud over in het reservoir. Ze zal de koffie sterk maken. Wie weet hebben ze straks allemaal behoefte aan een stoot cafeïne. Ze zet de gebaksbordjes die van Anneriekes moeder zijn geweest, op een dienblad. Het zijn beschilderde bordjes, niet Yalda's smaak. Ze vraagt zich af of Annerieke geen spulletjes zou willen aanschaffen die ze zelf mooi vindt. Maar misschien is ze er nog niet aan toe. Het is per slot van rekening nog maar kort geleden dat ze haar ouders verloren heeft.
Vanuit de kamer klinkt Peters stem. 'Er stopt een auto. Ik denk dat ze er zijn.'
Yalda rent de kamer in en knikt. 'Dat is Thea. En die andere is natuurlijk Annerieke. Ik ga opendoen. Kan ik meteen je aanwezigheid meedelen.'
Ze rent naar de deur, rukt deze met enige moeite open en zegt buiten adem: 'Er is bezoek voor je, Thea.'

Thea schrikt en draait zich om. Staat er een auto geparkeerd? Nee, gelukkig niet. Misschien iemand uit de buurt...

Annerieke ziet er opgewonden uit en omhelst Yalda. 'Stel je toch eens voor, Yalda. Weet je wie de koper is? Thea! Voorlopig kunnen we hier blijven wonen. Ik bedoel jij en ik.'
Thea legt haar tas op de tafel in de hal, de paperassen erbovenop. 'Wie mag het dan wel zijn?' Voor de spiegel schikt ze wat aan het haar. Ze lijkt tegen zichzelf te zeggen dat ze zich niet zo moet aanstellen.
Yalda rukt de kamerdeur open en duwt Thea naar binnen. 'Dit is Peter Daniëls. Hij is op zoek naar...'
Peter is opgesprongen en kijkt Yalda boos aan. 'Ik kan mijn eigen zegje wel doen. Haal jij de koffie maar.'
Yalda laat zich niet verjagen en leunt met haar rug tegen de gesloten deur.
'Ik hoef me dus niet meer voor te stellen,' zegt Peter schijnbaar beheerst. Hij herhaalt Yalda's woorden. 'Mijn naam is Peter Daniëls, maar ik vrees dat die naam u niets zegt.' Hij geeft Thea een hand, houdt die even vast en zegt dan dat hij haar graag onder vier ogen zou willen spreken.
Thea kijkt naar de knokige jongenshand in de hare. Ze begint te beven en kijkt hulpeloos om zich heen.
'We willen wel in de keuken gaan zitten, of buiten. Kom, Yalda,' stelt Annerieke voor. 'Dan kan ik meteen verslag doen van de gebeurtenissen bij de makelaar.'
Yalda laat zich met moeite meeslepen, en eenmaal buiten kan ze zich niet concentreren op wat Annerieke zegt. Ze valt haar plompverloren in de rede. 'Die jongen, Peter, denkt dat hij een zoon van Thea is. Echt waar. Hij is geadopteerd, net als ik. Zijn pleegouders leven niet meer, en hij heeft papieren gevonden met de naam Atema erop.'
Annerieke is meteen gealarmeerd. 'Dat meen je niet. Kom op! Thea? Ik zou niet weten of ze ooit een relatie heeft gehad. Nou ja, je kunt ook verkracht worden en zwanger raken. Volgens mij heeft ze buiten Titus van Amerongen nooit iemand gehad.'

Annerieke en Yalda kijken elkaar ontsteld aan. Yalda straalt sensatie uit, Annerieke ongeloof.
'Thea, tante Theodosia. Een baby die ze heeft afgestaan? Nee, Yalda, dat zou Thea nooit en nooit doen. Maar ja...' Annerieke telt op haar vingers: 'Ga eens twintig, vijfentwintig jaar terug. Toen waren de opvattingen anders dan nu. Al pleegden ze in die tijd al wel abortus. Dat vertelde mijn moeder weleens: baas in eigen buik, was de kreet.'
Yalda weet te vertellen dat er jaarlijks wereldwijd vijftig miljoen baby's worden geaborteerd. 'Daar had ik ook bij kunnen zijn. Word ik van het ene moment op het andere nog dankbaar dat Dick en Sandrien me hebben geadopteerd en dat mijn bio-mam me niet heeft laten weghalen.'
Annerieke moet lachen om het woord 'bio-mam'.
'Iets van Peter. Leuke knul, Annerieke. Te jong voor jou, denk ik. Toch?'
Annerieke plaagt: 'Te oud voor jou, denk ik. Toch?'
Ze horen de voordeur met een klap dichtslaan, wat Annerieke doet opveren. 'Was hij, is hij met een auto?'
Dat kan Yalda haar niet vertellen.
'Ik ga maar naar Thea. Ze komt niet naar buiten. Dat is verdacht.'
In de kamer treffen ze een ontredderde vrouw aan.
'Ik wil alleen zijn. Toe. Later vertel ik het wel.'
Maar ze beeft zo, en haar huid is zo in- en inwit, dat Annerieke er niet over peinst aan dat verzoek gehoor te geven. Ze gaat op de leuning van de stoel zitten waarin Thea zit. 'Haal een glas water,' commandeert ze Yalda. 'Heb je die jongen op zijn nummer gezet, Thea? Wil je er werk van maken?'
Thea heft langzaam haar hoofd op en kijkt Annerieke aan. Schuldig, ze kijkt alsof ze schuldig is aan een of ander vergrijp. 'Die jongen... is mijn zoon.'

10

DE TAART IS VERGETEN. DE WOORDEN VAN THEA hangen bijna zichtbaar in de kamer.
Yalda lijkt, met een glas water in haar hand, op een standbeeld. En Annerieke kan er niets aan doen dat wat ze voelt, zichtbaar is op haar gezicht. 'Je hoeft er niet over te praten, Thea. Lieverd, Thea dan toch...'
Dan begint Thea te huilen. Het klinkt zielig, als van een verdwaald kind dat om zijn ouders roept. De fiere houding van eerder op de dag is verdwenen. 'Het is zo lang geleden. Ik heb het allemaal met succes jaren en jaren weten te verdringen.' Ze kijkt beschaamd naar Yalda. Het spijt haar dat juist zij thuis was toen Peter zich meldde.
'Heb je hem de deur gewezen? Misschien kun je er de politie bij halen en ervoor zorgen dat hij een straatverbod krijgt.'
Thea drinkt gulzig van het water. Haar tanen klapperen tegen het glas dat door Annerieke wordt vastgehouden.
'Wij zwijgen als het graf, Thea. Van mij zal nooit iemand iets horen,' zegt Yalda plechtig.
Thea haalt haar schouders op. 'Er is nu niets meer aan te doen. Misschien is het wel goed dat het eindelijk naar buiten komt.'
En dan vertelt ze. Dat ze als jonge vrouw kennismaakte met Titus en zijn zieke vrouw. Dikke vriendinnen werden de adellijke Johanna van Amerongen en zij. Vóór haar huwelijk was ze freule Wingerdheim. Toen het steeds slechter ging met Johanna, was het een vanzelfsprekende stap dat Theodosia te hulp schoot. Ze ging zover dat ze in de villa kwam wonen. En het onvermijdelijke gebeurde: Theodosia werd verliefd op Titus. En Titus bezweek voor de jonge, sterke en aantrekkelijke vriendin van zijn vrouw. 'Jawel, we geneerden ons. Het was niet fraai. Maar wel heel menselijk,' roept ze schor, om zich te verdedigen.

Annerieke knikt en legt haar ene arm steviger om de bevende schouders.
Yalda zit op de bank en slaat hen gade. Ze kluift op haar nagels en is één brok spanning. Tjonge, dit is een soap uit de eerste hand.
'Wat niet had mogen gebeuren, gebeurde toch. Ik werd zwanger. Abortus? Dat was een idee van Titus, niet van mij. Een wanhoopsgedachte van hem. Per slot van rekening lag zijn vrouw op sterven. Ja, hij was gek op mij, maar of hij van mij hield? Dat betwijfelde ik in de jaren daarna. Wat moesten we? Johanna mocht niets merken. Ik stemde toe: abortus. Dat was wat in die dagen. Maar toen het erop aankwam, ben ik uit de kliniek gevlucht. Ik kon het niet. Ik kon het niet. Zeker weten dat ik levenslang wroeging zou hebben. Ik had voor Johanna alles over, maar dit niet.'
'Goed zo,' mompelt Annerieke. 'Wat zul je geleden hebben. Niemand die er voor je was.'
Thea herhaalt die woorden. 'Niemand die er voor me was. Eerder dan verwacht overleed Johanna. Titus was gebroken. Mij zag hij niet meer staan. Na de begrafenis ben ik weggevlucht. Ik heb geprobeerd me elders te vestigen, wat niet echt lukte. Uiteindelijk ben ik via kennissen in Zwitserland terechtgekomen, bij Hollandse mensen die wel vaker vrouwen als ik, in mijn situatie, opvingen. Ook hadden ze kanalen waarlangs adoptie geregeld kon worden. Bij Titus kon ik niet meer aankloppen met het verhaal dat er een baby op komst was. Enfin, details geef ik niet vrij. Die zijn te intiem. Het kind werd geboren, een zoon. Ik heb hem niet gezien. Volgens mijn verzorgster was het een beeldschoon kind met blauwe ogen, net als die van Titus.'
Er valt een zware stilte.
Annerieke vraagt op zachte toon hoe het verder ging. Waarom knoopte Thea de band met Titus weer aan?
Thea glimlacht weemoedig. 'We konden elkaar niet vergeten.

Titus kwam erachter dat hij mij toch wel erg prettig gezelschap vond. Bij toeval – maar wat is toeval? – kwamen we elkaar weer tegen. We gingen uit, naar concerten, opera, dat soort dingen. Hij gaf me cadeaus en vroeg me mee op vakanties naar het buitenland, waar hij zelf relaties had met gelijkgestemden, natuuronderzoekers vooral. Zo kwam het dat ik door hem werd uitgenodigd hem te helpen met de ontvangst van een stel buitenlandse vrienden. Hij herinnerde zich dat ik goed kon organiseren, weet je. En maar al te graag stemde ik toe. Ik zorgde ervoor dat de logeerkamers pico bello in orde waren. Ik nam de catering voor mijn rekening, huurde extra personeel in. Ik werd door de gasten gezien als de vrouw die bij Titus hoorde. Nadat de gasten vertrokken waren, ordende ik geruisloos het huis en bracht ik alles terug in de staat van voor de logeerpartij.
'Waarom blijf je niet. Ik heb een huishoudster nodig,' zei Titus op een avond.
Wat zeg je dan, als de liefde van je leven je dat voorstelt?'
Annerieke is uit haar doen. 'Huishoudster? Meer niet? Ik dacht nog wel...'
Thea wordt rood. 'Jawel, ik heb al die jaren op een huwelijksaanzoek gewacht. Maar Titus kon het niet opbrengen die vraag te stellen. Terwijl iedereen – zijn vrienden en relaties – terecht dachten dat we...'
Thea kijkt schuw naar Yalda en ziet de spanning in haar ogen. Ze schudt haar hoofd. 'Ik ben wel van mijn voetstuk gevallen, is het niet? Nu zul je nooit meer een terechtwijzing van me accepteren, Yalda.'
Yalda krijgt tranen in haar ogen. 'Ik vind je gaaf, tof en te gek, Thea. Dat je dat allemaal hebt doorgemaakt. Ik zie je opeens met heel andere ogen. Je bent veel menselijker dan ik dacht.'
Ondanks de situatie lacht Thea door haar tranen heen. 'Voor de buitenwereld hield ik me groot. Huisdame. In de buurt van Titus zijn was me genoeg. Vaak genoeg moest ik een stap terug

doen wanneer we in het openbaar waren. Maar in liefde kun je veel verdragen, weet je. Totdat hij met dat mens op de proppen kwam. Een freule, net als zijn overleden Johanna. Maar dan gezond, jong, energiek en levenslustig. De rest weten jullie. Daar wil ik geen woorden aan vuil maken. Tot op de dag van vandaag ben ik Annerieke dankbaar dat ik hier mocht logeren.'

Yalda klapt in haar handen. 'Welja, en dan koopt ze het huis onder de voeten van die brave Annerieke weg. Om te gillen.'

Annerieke loopt naar een kast in de kamer om een nieuw pakje tissues te halen. De zakdoek van Thea is doorweekt.

'Hoe gaat het nu verder, Thea? Wat heb je tegen Peter gezegd? Weet hij wie zijn vader is?'

Thea schokschoudert. 'Ik was zo van streek. Ik zag Titus in die jongen. Als twee druppels water. Mijn kind. Het voelt zo raar. Ik heb hem niet alles verteld. Dat kon ik niet opbrengen. Maar ik moest hem beloven dat ik hem de naam van zijn vader zou geven. Hij zegt dat hij daar recht op heeft. Ik zou het zo doen, ware het niet dat ik geen contact meer met hem wil. En hoe zal Titus de jongen ontvangen? Hij zal ontzet zijn dat ik het kind indertijd niet heb laten weghalen.'

Annerieke zegt dat de tijd niet is stil blijven staan. Wie weet denkt Titus nu wel anders over de situatie zoals die toen was.

Yalda informeert voorzichtig – ze kiest haar woorden met zorg – of Peter hier in huis welkom is, als hij daar behoefte aan zou hebben.

Thea knippert haar tranen weg. 'Die knul heeft vanmiddag heel wat te verwerken gekregen. Hij heeft bio-mam, zoals hij dat noemt, gevonden, maar van de achtergrond weet hij niets. En zijn 'bio-pap' leeft ook nog. Hij heeft zijn geliefde pleegouders verloren. Hij voelt zich eenzaam. Tja, ik heb gezegd dat ik even tijd nodig heb om alles op een rij te krijgen.' Er klinkt in Thea's stem een snik door. 'En toen zei hij: 'Ik toch ook, moedertje Thea.'' Nu barst Thea luidkeels in snikken uit.

Annerieke en Yalda doen van de weeromstuit met haar mee.
'Het is zo'n aardige jongen,' hikt Yalda.
Annerieke herstelt zich als eerste. 'Wat een dag. Emotie op emotie. En dan is er nog taart, mag ik hopen. Kom op, Yalda, zet eens verse koffie voor ons.'
Yalda springt op en herademt. Wat een verhaal. Jammer dat het geheim moet blijven.

Later op de dag probeert Annerieke Thea aan het praten te krijgen.
Maar Thea hult zich in zwijgen. Dat hebben de huisgenoten maar te accepteren.
De zo feestelijk begonnen dag eindigt triest.
Thea is de eerste die haar slaapkamer opzoekt.
Zodra Annerieke met Yalda alleen is, bindt ze deze op het hart vooral tegen niemand iets over Thea en haar verleden te vertellen. 'En zeker niet aan de familie, Yalda. Als Thea hen op de hoogte wil brengen, doet ze dat op haar eigen tijd.'
Yalda blijkt nogal verrukt te zijn van Peter Daniëls. 'Denk je dat we hem ooit terugzien? Als ik hem was, zou ik enthousiast zijn als ik mijn eigen moeder kon leren kennen.'
Annerieke mompelt dat het ook zou kunnen tegenvallen. 'In ieder geval moeten jij en ik er zijn voor Thea. Wij zijn de enigen met wie ze erover kan praten. Enfin, we wachten wel af.'
Yalda, op haar beurt, dwingt Annerieke te beloven haar nergens buiten te houden. 'Dat zou net iets voor jullie zijn. Als er ontwikkelingen zijn, heb ik ook het recht...'
'Welterusten. Wat Thea's privéleven betreft, hebben we nergens recht op.'
De drie vrouwen onder hetzelfde dak hebben die nacht één ding gemeen: ze kunnen geen van drieën de slaap vatten.

De volgende ochtend komt Thea pas tegen koffietijd beneden.
'Wat moet ik toch doen, Annerieke? Die jongen... Ik heb zo

vaak aan hem gedacht. En dan stelde ik me hem voor als baby. Maar nu hij een volwassen man is... Ik moet even niet denken aan de reactie van Titus wanneer hij met de feiten geconfronteerd wordt. Enfin, hij kan me na zo veel jaar niet meer verwijten dat ik uit de abortuskliniek ben ontsnapt. Wat moet ik toch doen? Moet ik hem ervan op de hoogte stellen dat Peter leeft? DNA-onderzoek is niet nodig. Hij lijkt als twee druppels water op zijn vader.'

Annerieke zet een kop koffie voor Thea neer en een dubbele boterham met kaas. 'Eet eerst maar eens, lieve Thea. Wat je moet doen? Ik denk dat je dat zelf uiteindelijk het beste weet. Je moet wel de touwtjes in handen houden en de jongen niet zelf op zoektocht laten gaan. Ik weet zeker dat hij Titus in een mum van tijd gevonden heeft. En wat verwacht hij? Zeker niet dat 'pa' hem vraagt bij hem in te trekken.'

Thea neemt een hap van haar brood en kauwt zonder proeven het voedsel weg. 'Fouten, wie maakt ze niet? Ik heb alles aan mezelf te wijten, kind. Nu kan ik me niet meer voorstellen dat ik zonder lang te protesteren de wil van Titus heb gedaan. In de loop van de jaren ben ik zelfstandiger geworden. Ik vaar mijn eigen koers, weet je. Maar aan jou durf ik wel te bekennen dat mijn gevoelens voor hem met het jaar sterker werden.'

Thea zucht, drinkt koffie, eet brood en zucht nogmaals. 'Zelf de leiding houden. Ik heb de moed niet om Titus te bellen. Ik denk dat ik hem maar een brief schrijf. Ik zou ook kunnen mailen, al houd ik er niet van ernstige kwesties op die manier te behandelen.'

Annerieke kan haar geen raad geven. 'Ben je bang dat hij misschien denkt dat je probeert je oude positie terug te veroveren?'

De mondhoeken van Thea zakken omlaag. 'Ik hoef maar aan freule van Swinkel te denken of ik sla al op de vlucht. Nee, ik kan, als het moet, heel afstandelijk overkomen. Maar vind je niet dat ik dit alles persoonlijk zou moeten overbrengen? Een

brief is zo, zo star. Eigenlijk zou ik zijn gezicht moeten zien wanneer hem ter ore komt dat hij vader is.'
'Daar heb je een punt. Misschien kun je beter een afspraak maken, Thea. Desnoods nodig je hem hier uit. In je eigen, nieuwe huis.'
Nu breekt er een zonnetje door op Thea's gezicht. 'Mijn eigen huis... Wat een poppenkast was dat, gisteren. Nooit zal ik de uitdrukking op de gezichten van mijn twee neven vergeten. Om te gillen was het. Maar lang hebben we niet kunnen genieten van de euforie. Als er nog taart is, lust ik nu best een stukje.'
Annerieke veert op. 'Dat is een goed teken. Ik maak verse koffie, en dan gaan we op jouw terrasje zitten.'

Het wordt een brief, zij het een korte. Thea leest, later op de ochtend, Annerieke de inhoud voor.
'Beste Titus', is de aanhef. Ze verzoekt hem vriendelijk tijd voor haar vrij te maken in verband met een ernstige kwestie. En passant deel ze hem mee dat ze het huis van haar overleden broer heeft gekocht, zodat hij niet op de gedachte zal komen dat ze nog de hoop heeft hem voor zich terug te winnen. 'En wanneer dat bezoek achter de rug is, bel ik Peter om verslag te doen,' zegt ze.
Annerieke ontdekt dat Thea in stilte trots is op de charmante jongeman, die keurig is opgevoed en goede vooruitzichten heeft.
'Straks word je oma, Thea. Wanneer vertel je het aan tante Bette?'
Thea schudt haar hoofd. 'Even wachten, alsjeblieft.'

Nadat de brief gepost is, begint voor Thea het wachten. Heeft ze er goed aan gedaan hem te schrijven? Of is het juist een kardinale fout? Ze heeft van Peter geëist dat hij met contact moet wachten totdat zij het sein veilig geeft. Desondanks zit

ze op de uitkijk in de hoop dat de jongen zich niet aan die belofte houdt.
Het kost Yalda de grootste moeite niet over Peter te praten. Ze koestert het korte moment dat ze samen hebben doorgebracht. Alle twee geadopteerd... Dat alleen al gaf een band. Zijn aandacht voor haar bracht haar in extase. Eindelijk was er iemand die voelde wat zij had gevoeld en had doorgemaakt.
Een paar dagen na de overdracht komt er bezoek. Thea's neven en aangetrouwde nichten verrassen haar met bloemen, wijn en gebak. Ze zijn over de schrik en de verontwaardiging heen. Het is wel fraai hoe hun tante hen om de tuin heeft geleid. En dat het ouderlijk huis in de familie blijft, is ook een punt dat de moeite waard is. Dat de drie gastvrouwen zich een beetje eigenaardig gedragen, wordt toegeschreven aan de nieuwe situatie. Of Thea het huis gaat renoveren?
Sandrien roept: 'Nieuwe keuken, nieuwe badkamer, je eigen meubels. En wat ga je met Annerieke doen?'
Anneriekes mond valt open bij het horen van die vraag.
Thea zegt kalm: 'Wat dacht je? Ik verhuur haar een paar kamers. Dan ben ik verzekerd van hulp wanneer de oude dag aanklopt.'
Esther protesteert, totdat ze ontdekt dat het maar een grapje was.
Maar de vraag van Sandrien heeft Annerieke wakker geschud. Wordt er zo over haar gedacht? Als was ze een gewillig geprogrammeerde robot? Als een machine die je kunt aan- en uitzetten?
De rest van de avond wordt er over de komende zomervakantie gesproken.
Esther en Wieger doen het kalm aan dit jaar: ze gaan een weekje naar Texel.
Sandrien en Dick willen graag een lange reis maken. Ze hebben Australië in gedachten.
'En wat doen we met Yalda?' roept het meisje.

'Jij gaat toch altijd met ons mee?' zegt Sandrien heel verbaasd.
Yalda schudt haar hoofd. 'Zo'n soort reis is toch niks voor mij. Laat me maar met Thea en Annerieke uitgaan.' Dan zegt ze tegen haar huisgenoten: 'Jullie gaan toch wel ergens heen?'
'We hebben nog geen plannen. Eigenlijk heb ik wel iets anders aan mijn hoofd. Ik heb een huis gekocht, weet je.'
Annerieke en Yalda kijken elkaar aan.
'Wij kunnen best iets leuks gaan doen. Fietsen in de Ardennen, lijkt je dat wat, Annerieke? Ik ben ook uitgenodigd door een vriendin om met haar ouders mee te gaan naar Zuid-Frankrijk. Maar eerst wil ik mijn rapport hebben.'
Sandrien is opeens in mineur. 'Ik had zo gehoopt dat je met ons mee zou gaan. Om weer wat tot elkaar te komen en te praten over de behandeling die je na de zomer zult ondergaan.'
De behandeling. Een aantal gesprekken met deskundigen moeten Yalda helpen zichzelf terug te vinden en met steun van psychologen zonder kleerscheuren uit de puberteit te komen.
Yalda trekt een vies gezicht.
Esther merkt op dat Yalda aan het veranderen is. 'Je komt opeens meer volwassen over, meisje.'
De bel van de telefoon bespaart Yalda een antwoord. Ze is als eerste bij het toestel.
Een mannenstem vraagt naar Theodosia.
Yalda neemt de telefoon mee naar buiten, waar de familie op het terras zit. 'Voor jou, Thea.'
Gewapend met het toestel haast Thea zich naar binnen, de vragende gezichten van het gezelschap negerend. Ze hoort, voordat ze naar binnen gaat, Annerieke vertellen dat Thea op papier een begin heeft gemaakt met de renovatie. Daaruit wordt de conclusie getrokken dat er wel een of andere klusjesman aan de lijn zal zijn.

Annerieke kan niet wachten totdat het bezoek opstapt.
Thea is maar even binnen geweest, en wanneer ze terugkomt,

haakt ze in op Annериekes opmerking. 'Tja, er moet veel gebeuren, nietwaar? En wanneer je begint, weet je niet waar het einde is. Maar we doen het kalmpjes aan.'
Yalda ruimt, zonder dat het haar gevraagd is, het gebruikte serviesgoed op. 'Straks heb je natuurlijk een vaatwasser, Thea.'
Annerieke tobt hardop over het feit dat ze altijd gespannen is tijdens de familiecontacten.
'Hoor je wat je zegt?' roept Yalda. 'En van mij verwachten jullie dat ik loop te stralen omdat ik weer naar huis moet?'
Thea plukt een fles wijn uit de koelkast. 'Ik ga mezelf moed indrinken, meiden. Titus – hij was het aan de lijn, maar dat snapten jullie natuurlijk ook wel – komt mij hier bezoeken. Morgenochtend. Hij wilde weten wat de reden van mijn verzoek was. Ik doe vannacht weer geen oog dicht.'
Yalda omhelst Thea. 'Lieve tante, een kind kan zien dat je nog gek bent op die man. Geloof me, ik weet wat liefdesverdriet is. Ik begrijp je best. Maar laat het hem vooral niet merken. Kerels...' En in één adem erachteraan: 'Mag ik spijbelen? Ik kan voor dienstmeisje doorgaan en de koffie serveren, bijvoorbeeld. En wat doe je met Annerieke? Mag zij erbij zijn?'
Thea maakt de dunne meisjesarmen los die haar omknellen. Ze schudt Yalda zacht heen en weer. 'Jij toch. Niks spijbelen. Ik heb je toegezegd dat ik je op de hoogte houd.'
Liefdesverdriet... Annerieke verbijt een lach. Ze kijkt met vertedering naar het meisje, dat meer en meer zichzelf lijkt te respecteren. 'Je bent rijk als je weet wat liefdesverdriet is. Dat betekent dat je ooit hebt liefgehad, en dat is iets wat sommige mensen nooit leren kennen.'
Yalda zet grote ogen op en ziet Annerieke opeens alsof ze een leeftijdgenootje is. 'Kom nou, iedereen is weleens verliefd. Ja toch? Zelfs Thea.'
Thea drinkt haar glas wijn in één ruk leeg. 'Ja, zelfs Thea weet van wanten. *Liebeskummer*. Kom op, we gaan proberen te slapen. Want morgen krijg ik een zware dag.'

11

TITUS VAN AMERONGEN IS EEN MAN VAN DE KLOK. Stipt op de afgesproken tijd rijdt hij de straat in waar hij moet zijn. Aardige huizen, gebouwd in een periode waarin er voor iedereen ruimte in overvloed was. Hij rijdt langs het huis en neemt wat hij ziet, in een oogwenk in zich op. Hier heeft Theodosia zich dus verstopt. Huisje met rieten dak, een fraaie beuk die te groot is voor de kleine tuin. Op de hoek van de straat keert hij zijn wagen en vraagt hij zich voor de zoveelste maal af wat Theodosia's verzoek om hem te spreken wel mag behelzen. Geld, is het dat? Zit ze in geldnood? Zijn hart krimpt ineen wanneer hij daarover nadenkt. Genomen, hij heeft altijd van haar genomen en haar liefdevolle houding geaccepteerd alsof hij daar recht op had. Blind is hij geweest. Annette van Swinkel kan niet in Theodosia's schaduw staan. Egoïsme, hoogmoed en nog veel meer zwakke punten heeft zijn adellijke vriendin. Hij zet de wagen stil voor het huis, achter die van Theodosia. Hij is nerveus als een schooljongen bij zijn eerste afspraakje. Theodosia is vergevensgezind. Maar soms, als er te veel is gebeurd, is vergeving een illusie. Toch? Als je ouder wordt sleep je te veel herinneringen met je mee, zowel slechte als goede. Moeizaam werkt hij zich van zijn plaats. Hij sluit de deur en betreurt het feit dat hij geen bloemen heeft gekocht. Al was het maar om iets in handen te hebben. Maar hij weet niet of er een reden is voor bloemen. Hij duwt zijn bril wat vaster op zijn neus, kamt met de vingers van zijn rechterhand door zijn goed geknipte witgrijze kuif en betast zijn kortgeschoren baardje alsof hij zekerheid wil putten uit zijn uiterlijke verschijning. Kort drukt hij met een vinger op de bel. Hij telt totdat hij de voetstappen van Theodosia hoort. Hij kent ze als die van geen ander. Ze heeft een zware stap, want ze draagt bijna altijd schoenen met halfhoge hakken.

Dan gaat de deur open. Een blozende Theodosia staat voor hem, in een japon die hij niet kent, rechtop, met een bijna strenge blik in haar donkere ogen. 'Titus?' Het klinkt vragend. Waarom heeft hij geen boeket bij zich?
'Theodoosje,' hoort Annerieke, die op de overloop meeluistert. Ze wil weten hoe de begroeting is. Het klinkt bijna vertrouwd.
'Kom verder in mijn – in jouw ogen – nederige stulp.'
Titus kucht. 'Nou ja, nederig. Het is een aardig huisje. En dat mag je nu het jouwe noemen?'
'Het is inderdaad sinds kort mijn eigendom, Titus. Kom verder en ga ergens zitten. Dan krijg je een kop koffie van me.'
Zodra de kamerdeur gesloten is, haast Annerieke zich de trap af. Ze loopt naar de keuken. 'En? vraagt ze.
Theodosia haalt haar schouders op. 'Ik ben zo zenuwachtig als een... Nou ja, ik weet niet wat. Breng jij de koffie maar binnen. Dat breekt de spanning misschien wel. Mijn handen trillen. Ik kan ze niet stilhouden, Annerieke.'
Twee kopjes koffie op een blaadje, koekjes op een van haar moeders zilveren schoteltjes.
Trillende handen, het mocht wat. Die van haar doen niet onder voor die van Thea.
'Nee maar, Annerieke. Wat een verrassing jou te zien. Je ziet er een stuk beter uit dan in het voorjaar, meisje.'
Ze krijgt een hand en is verbaasd wanneer ze voelt dat die van Titus steenkoud is.
'Ja, het gaat best met me. Het huis is zojuist verkocht, weet je, en nu zoek ik nog een baan.'
Juist, juist, knikt Titus.
'Ik laat jullie alleen. Als je me nodig hebt, Thea, roep je maar. Ik ben buiten.'
De stilte tussen de twee ex-geliefden is om te snijden. Ze beginnen meteen te praten, maar voelen zich ongemakkelijk in elkaars gezelschap. Dat is weleens anders geweest.
'Je zult wel benieuwd zijn naar wat ik te vertellen heb.' Thea

zet haar inmiddels lege kopje op het schoteltje en vouwt haar armen als een schooljuf over elkaar.
Eén ogenblik denkt Titus dat ze wil vertellen dat ze een nieuwe relatie heeft. Waarom niet? Thea is niet meer de jongste, maar haar aantrekkingskracht is ze nooit verloren. Het doet pijn dit te beseffen. 'Het maakt me niet uit wat je kwijt wilt, Theodosia. Maar laat mij alsjeblieft eerst mijn zegje doen.'
Thea knikt genadig. Ze ziet dat ook Titus' handen trillen wanneer hij kop en schotel naast zich op een tafeltje zet. 'Ga je gang.' Haar stem klinkt kil.
Titus schraapt zijn keel. 'Je vertrek was nogal, eh... stormachtig. Maar ik moet toegeven: dat was logisch. In die omstandigheden tenminste. Ik wil dat je begrijpt dat het me spijt dat ik je zo gekwetst heb. Dat had anders gekund en gemoeten. Dit had je niet verdiend.' Hij last een pauze in. 'We hebben je verdreven.'
Thea wuift met een hand. 'Excuses geaccepteerd. Gedane zaken... Je weet wel. Onze wegen hebben zich gescheiden. Het is niet anders. Ik zie niet om in wrok. En ik hoop dat jij je geluk hebt gevonden bij de freule.'
Titus slaat zich op de dijen.
Thea schrikt ervan.
'Niet dus, Theodosia. Ik wil dat je weet dat het een afschuwelijke vergissing was. Verblind was ik, en dat op mijn leeftijd. Verrukt van het feit dat een jongere vrouw mij zag zitten. Met mij verder wilde. Het enige wat we deelden, waren dezelfde belangen en interessen.' Nee, hij spaart zichzelf niet.
Thea wordt met de seconde verbaasder over deze zelfvernedering. 'Stop daarmee, Titus. Je doet ons beiden pijn. Ik heb je niet uitgenodigd om...'
'Ik was aan de beurt, weet je nog? Wel, ik vraag je niet alleen of je me wilt verontschuldigen, maar ook of je terug wilt komen. Het huis is zonder jou... Wat moet ik zeggen? Het is als een verlaten nest. Ik kan mijn draai niet meer vinden.'

Thea schudt haar hoofd. 'Daar is het nu te laat voor. Straks duikt er een nieuwe freule of weet ik wat voor vrouw op, en dan herhaalt zich de situatie. Dat kan ik niet aan. Ik wil rust, Titus.'
Titus buigt zich naar haar over. 'En als ik je nu ten huwelijk vraag, Thea, iets wat ik jaren geleden al had moeten doen?'
Thea voelt een duizeling opkomen. Trouwen met Titus? Eindelijk krijgen waarop ze jaren gehoopt heeft?
Ze schudt haar hoofd. 'Het is te laat,' houdt ze star vol. 'De gebeurtenissen zullen altijd tussen ons in blijven staan. Bovendien schaam ik me voor onze, voor jouw kennissen. Afgedankt en weer uit het vuilnis geplukt. Zo voelt het aan.'
Titus zet zijn bril af en legt het voorwerp naast het koffiekopje op het bijzettafeltje. 'Dus je kunt me niet vergeven, meisje? Moet ik op mijn knieën? Zeg het maar. Ik wil alles doen om je terug te krijgen. Desnoods gaan we in het buitenland wonen, of zoeken we ergens anders in eigen land een huis zoals het mijne. Ik zit niet meer vast aan familietradities, aan eigen land en goed. Dat heeft jouw afwezigheid in mijn leven me geleerd.'
Thea zou wel willen, maar ze weet niet hoe. De pijn die de freule en hij haar hebben aangedaan, is opeens weer net zo heftig als die aanvankelijk was.
Titus ziet de strijd op haar gezicht en doet dan iets wat hij niet van plan was geweest. Hij veert op, overbrugt de afstand tussen hen in met twee grote stappen en doet het toch. Hij knielt voor Thea neer, grijpt haar handen en brengt die naar zijn mond.
Dat is te veel voor Thea, die weet wat hem dit moet kosten. 'Titus?'
Ze kijken elkaar aan, en dan gebeurt het wonder dat alleen een vergevend hart kan bewerkstelligen.
Thea's ogen zoeken de zijne. Ze speurt zijn gezicht af of ze iets leugenachtigs kan ontdekken. Ze schudt haar hoofd en voelt dan dat ze niet langer weerstand kan bieden. Haar hoofdbe-

weging verandert van richting. Ze knikt. Ze voelt dat ze het doet en weet dan dat alles anders zal worden.

'Betrapt. Je bent er vet bij, Annerieke.'
Annerieke duikt geschrokken weg bij het achterkamerraam. Ze heeft niet uit nieuwsgierigheid staan gluren. Er was een andere drijfveer. Ze was bang dat Titus van Amerongen Thea nog meer pijn zou doen dan hij al gedaan had.
'Jij zelf bent betrapt, meid. Je hoort op school.'
Yalda doet haar beide armen omhoog. 'Lekker een uur vrij. En echt, ik zit aldoor aan haar te denken. Weet je al iets?'
Annerieke trekt haar nichtje verder weg bij het raam en zegt dat ze niets gehoord heeft. 'Maar gezien heb ik wel iets. Kom mee.'
Ze sluipen terug naar het raam.
Dan is ook Yalda getuige van iets wat hun beiden niets aangaat. Thea legt haar beide handen op het hoofd van Titus, alsof ze hem zegent. Dan veegt ze met de rug van één hand langs zijn ogen, heel langzaam, als was het een koestering.
Yalda knijpt Annerieke onzacht in haar bovenarm en slaakt een zacht kreetje. 'Ze worden het eens. Straks heeft hij twee ouders, zijn bio-ouders.' Tot Anneriekes verbazing komen er tranen in Yalda's ogen, en even later stromen er twee beekjes over haar wangen.
'Kind dan toch.'
Yalda snikt. 'Ik ben zo jaloers op dat joch. Hij wel. Waarom ik niet?'
Annerieke denkt haar meteen te begrijpen. 'Waarom', wat een ellendig woord is dat toch. 'Lieverd, toe, niet huilen. Laten we blij zijn voor Thea. Ouders zijn niet te vervangen, maar je hebt ons toch ook?'
Yalda knikt heftig en veegt haar ogen droog met de mouw van haar shirt met lange mouwen. 'Weet ik wel. Maar het is zo oneerlijk.' Ze leunt tegen Annerieke aan en lijkt even weer op het

kleine ding dat ze ooit was. 'Kunnen we nu naar binnen?' vraagt ze, nog nasnuffend.
'Ben je mal? Die twee zijn vast nog niet uitgepraat. En denk erom: niet tegen Thea zeggen dat we gegluurd hebben. Ik heb het gedaan omdat ik bijna knapte van spanning. Wacht, ik haal iets te drinken.'
Het vrije uur is bijna om wanneer Yalda weer op de fiets stapt. Ze heeft zitten fantaseren over Peter Daniëls en zijn toekomst. Voordat ze wegrijdt, zegt ze: 'Ik ben zo blij dat jij te oud voor hem bent. Nu heb ik tenminste een kansje dat hij mij ziet staan, Annerieke.'

Thea en Titus zijn inderdaad nog niet uitgepraat.
Thea trekt Titus mee naar de bank, waar ze naast elkaar kunnen zitten. Ze is er voor zichzelf nog niet uit. De draad weer oppakken alsof er geen freule geweest is. Maar ze hoopt er de tijd voor te krijgen. 'Nu is het mijn beurt, Titus. En jij moet luisteren. Ja, je hebt me bezeerd, maar dat is jaren geleden ook al eens voorgekomen. Kun je me volgen? Het was toen je vrouw nog leefde.'
Ze hoeft niet verder te gaan. Titus weet het nog maar al te goed. Hij schiet rechtop. 'Dat was ook fout van ons. Onbeheerst. En ik heb me terecht geschaamd. Nee, dat is niet goed te praten, Theodosia. Ik heb kracht gekregen om het niet aan haar op te biechten. Menigeen zou het goedpraten. Spanningen, zowel geestelijk als lichamelijk. En jij was een meid om op te vreten. Maar nu, lieve schat, staat ze niet langer tussen ons in. Dat is namelijk aldoor het geval geweest. Ik heb het ons, ik heb het mezelf vergeven. En dat je zwanger raakte, met alle gevolgen van dien, dat is ons leed, een zwae last die bijna niet te dragen is.'
Titus wil nog doorpraten en goed laten uitkomen dat hij zich schuldig gevoeld heeft en met Thea niet gelukkig durfde te zijn. 'Ik strafte mezelf...'

Thea legt een hand over zijn mond. 'Stil nou even. Het was toch mijn beurt?' Ze streelt met één vinger over de kortgeknipte snor. 'Die zwarte bladzijde bestaat niet. Of eigenlijk juist wel. Raadsels? Ach, je moest eens weten. In die abortuskliniek kreeg ik visioenen van ongeboren kinderen. Opeens was daar dat schuldgevoel. Een ongewenst kind uit een verboden relatie. Ik ging ermee naar God. Hij is toch onze Vader? Ik beleed daar in dat bed in alle stilte mijn schuld, en opeens was de vrede onbeschrijflijk. Ik voelde me aanvaard. En ik, die dat mocht meemaken, stond op het punt een leven te beëindigen voordat het echt begonnen was. Titus, ik ben daar weggevlucht. Ik heb mijn woord aan jou gebroken. En in een klein bergdorpje is onze zoon geboren.'

Titus zit verstard. Hij kan Thea nauwelijks volgen. Ze hebben nooit gepraat over die zwangerschap, terwijl die hen beiden bezighield.

Thea zit met gebogen hoofd, en opeens zijn daar zijn armen om haar heen.

'Jij, jij bent een parel. Dapper meisje. Moedig, dat ben je. Is het kind dood geboren?'

Hun tranen vermengen zich. 'Ik heb het afgestaan.' Thea snikt. Ze herinnert zich alleen het klaaglijk huilen van de pasgeborene. 'Wat ben ik voor mens geweest om dat te doen? En nu, Titus, is die jongen opgedoken, op zoek naar zijn biologische ouders. Wat moeten we ermee?'

Titus pakt het hoofd van Thea in beide handen en zoekt haar ogen. 'Had ik het maar geweten. Waarom heb je het toen verzwegen? Was je zo bang voor me?'

Thea knikt. "Bang' is niet het juiste woord, maar dat doet er niet toe. Jij en ik hadden een besluit genomen, en dat ik me daar niet aan heb gehouden, zat me meer dan dwars. Zo, nu weet je het. Hij heet Peter en hij lijkt op jou. Zijn pleegouders zijn overleden. Hij is op zoek naar zijn wortels.'

Lang zitten ze doodstil tegen elkaar aan.

'Een zoon... Dank je wel, Theodosia, dat je die beslissing toen hebt genomen. Een zoon van ons beiden. Dat alleen al is een reden om het samen weer te proberen.'
Thea schudt haar hoofd. 'Niks geen proberen. Het is ja of het is nee, Titus. En als het ja wordt, wil ik een getrouwde vrouw zijn die iedereen recht in de ogen kan kijken. Er is er maar één die ervoor kan zorgen dat onze lei zo schoon wordt dat we erop kunnen schrijven. We zijn door de diepte gegaan. Laten we er onze les uit trekken, Titus. En nu... Nu wil ik graag door je gekust worden.'
Nog voordat ze is uitgesproken, wordt die eenvoudige wens, klinkend als een bevel, bevredigend vervuld.

Annerieke heeft er moeite mee Thea en Titus weer te zien zoals het lange tijd is geweest. Ze is getuige geweest van het verdriet van Thea. Ze zou Titus graag de mantel hebben uitgeveegd. Maar ze beseft dat het haar niets aangaat hoe die twee hun zaken klaren. 'Wees blij met de blijden,' is de raad die Titus haar geeft wanneer ze wat stug overkomt bij haar felicitatie.
'We zullen de jongen binnenkort uitnodigen, Annerieke. Hij zal verbaasd zijn dat zijn zoektocht naar zijn biologische ouders zo kort is geweest. Toch? Ach, wat zal er veel op ons afkomen. Als ik aan Bette denk, aan jouw broers en hun vrouwen, onze kennissen... Maar ja, tegenwoordig kan er veel meer dan vroeger. Er is meer begrip voor andermans foute beslissingen. Het gaat erom dat we zelf met de situatie in het reine komen.'
Titus heeft voorgesteld buiten de deur te lunchen, maar Thea beweert dat ze het niet kan opbrengen.
'Dan eten we toch hier een boterham. Ik bak spiegeleieren, met bacon en tomaat. En nu maar hopen dat ik jullie niet in de weg zit,' plaagt Annerieke. Ze dekt de eetkamertafel met zorg en zet ook een bord voor Yalda neer. Titus staat erop verse broodjes te gaan halen.

Wanneer Thea en Annerieke alleen zijn, begint Thea te huilen. 'Echt niet van verdriet,' beweert ze.
'Gelukstranen. Dat moet kunnen, Thea. Ik ben zo blij voor je. Kun je het echt, verder gaan met hem terwijl er zo veel is gebeurd? Je bent zo gekwetst.'
Thea zegt dat de liefde overwint. 'We moeten vooruitkijken en blij zijn met wat we hebben. De gedachte aan mijn kind, dat die jongen ons leven is binnengedrongen, dat is nog zo vreemd voor me.'
Annerieke zegt dat ze het volledig begrijpt.
Ze klampen zich aan elkaar vast.
Thea snikt dat ze het aan Annerieke te danken heeft dat ze niet volledig is ingestort. 'En nu heb ik een huis. Ik denk dat ik het maar verhuur, aan jou'.
De keukendeur vliegt open.
Yalda stormt naar binnen, met haar rugzak in de hand. 'Is hij weg? Toch... Is het toch niks geworden, Thea? Heeft hij je weer...? Nee toch?' Ze huilt vrolijk met de anderen mee, bereid om te troosten, indien nodig.
'Je hebt het mis. Titus weet zelfs van Peter. Hij is vader. En dat doet iets met hem, kind.'
Zo vindt Titus hen: drie ontdane vrouwen. Hij legt een plastic tas met broodjes op de keukentafel. Het liefst zou hij hen alle drie in zijn armen nemen. Maar met dat soort gevoelens kan hij niet goed omgaan. Hij knippert zijn ontroering weg en roept geforceerd vrolijk dat het een feestdag is. 'Weg met die tranen!'
Yalda is altijd wat verlegen geweest in de omgang met Titus, die ze niet al te vaak heeft ontmoet. Maar daar is nu geen sprake van. Titus is de vader van Peter.
'Wat lijkt Peter op u. Datzelfde lachje om zijn mond. En de ogen ook, nietwaar, Thea?'
De vrouwen laten elkaar los.
Annerieke schuift de gebakken eieren op een groot bord en

strooit er peper en zout overheen. Ze snippert er ook nog wat peterselie op.
Thea controleert of de koffie is doorgelopen. 'Het mandje, Yalda, voor de broodjes.' Eenmaal aan tafel ontdekt Thea dat ze geen trek heeft. Met moeite werkt ze een half kadetje naar binnen. Ze is letterlijk en figuurlijk vol van de wending die haar leven heeft genomen.
'We zijn eigenlijk te veel, Yalda. Voel jij dat ook?' probeert Annerieke grappig te zijn.
Ook Titus lijkt geen trek te hebben. Hij kan zijn ogen niet van Thea afhouden.
Thea heeft een gedaanteverwisseling ondergaan. Ze straalt.
Yalda heeft ondanks haar verliefdheid reuze trek. Ze verorbert het ene broodje na het andere. En ze voelt zich verwant met Thea, meent te begrijpen hoe Thea zich voelt. Zijn ze niet beiden aangeraakt door een liefdespijl?
'Ja, we zijn te veel. Yalda. Zullen we een eind gaan fietsen? Dan hebben zij hier het rijk alleen.'
Het is meer dan duidelijk dat Thea en Titus nog veel, heel veel te bespreken hebben.

12

YALDA KOMT MET EEN KEURIG RAPPORT THUIS. ZE heeft een compliment gekregen, en dat niet alleen voor de cijfers en de inzet, maar ook voor de gedragsverandering die de leraren is opgevallen. Het liefst zou ze bij Annerieke in huis blijven, maar ze begrijpt heel goed dat ze dit tegenover haar pleegouders niet kan maken.
Zowel Bette en Max als de familie van Annerieke zijn overrompeld door het nieuws dat Thea en Titus een zoon hebben, Peter Daniëls. Maar wat het voor Peter betekent opeens zijn biologische ouders te mogen kennen, kan niemand begrijpen. Heel geleidelijk aan groeit er een band tussen Peter en Thea. Titus heeft zich wat teruggetrokken om Peter tijd te gunnen en zijn gevoelens helder te krijgen.
Het is voor Annerieke alsof er een grote puzzel op de grond is gevallen: alle stukjes zijn er nog wel, maar liggen ver van hun plek. En nu, heel langzaam, stukje bij beetje, wordt de puzzel compleet gemaakt en wordt het plaatje weer zichtbaar.
Thea en Titus hebben zo hun plannen voor de toekomst. Thea is meer in Apeldoorn dan bij Annerieke in huis. Ze zijn druk bezig met de voorbereidingen van hun huwelijk.
Annerieke mist haar huisgenote meer dan ze laat blijken. Het probleem van een woning zoeken is opgelost. Bovendien heeft ze een aardig sommetje op de bank, dankzij de verkoop. En nee, Thea wil het huis niet doorverkopen. De renovatieplannen gaan gewoon door. Wanneer die verbouwing achter de rug is, mag Annerieke huur gaan betalen.
Het is vaak stil in huis.
Yalda is met een vriendin en haar ouders mee op vakantie.
Annerieke heeft geen zin om plannen te maken, terwijl ze dat wel zou moeten doen. Allereerst zou ze zich meer moeten inspannen om een baan te vinden of een studierichting te kie-

zen. Rusteloos als ze is, besluit ze op een mooie zomeravond de voortuin onder handen te nemen. Ze heeft geen rust, terwijl er zo veel reden tot vreugde is. Alles is haar als het ware in de schoot geworpen. Maar ze mist Thea, ze mist Yalda. Onkruid, waarvan ze de naam niet kent, wordt rigoureus uit de grond getrokken. Na de bouwvak wordt de nieuwe keuken gezet, daarna de badkamer. De sterk verouderde verwarmingsinstallatie zal vervangen moeten worden. Van haar hoeft het niet, maar Thea staat erop dat de plannen doorgaan. Annerieke ploft op haar knieën om de grond beter te kunnen bewerken. Met een schoffel is het geen doen. De vaste planten moeten ontzien worden. Voorzichtig werkt ze eromheen. Wanneer er een auto voor het huis stopt, kijkt ze op. Bezoek? Ze verwacht niemand. Misschien een collectant? Maar nee, in de zomermaanden is er een collectestop, meent ze te weten. Dan is het ongetwijfeld iemand die op zoek is naar Thea, of misschien naar Yalda.
Er stapt een haar onbekende man uit.
Annerieke gluurt tussen de struiken door om hem gade te slaan. Hij zoekt met zijn ogen het huisnummer, ziet ze. Misschien een medewerker van het keukenbedrijf? Het is gissen. Wel is duidelijk dat hij van plan is de tuin in te komen om aan te bellen. Midden dertig schat ze hem, een leeftijdgenoot van Dick. Een regelmatig gezicht, vlot gekleed in een katoenen broek en een lichtblauw overhemd dat openstaat bij de kraag. Daaronder een wit shirt. Een donkerblauw colbert bungelt op zijn rug, vastgehouden met één vinger. Hij loopt haar voorbij. Als ze stilzit, blijft ze misschien onopgemerkt. Wie de man ook mag zijn, ze is niet in de stemming voor bezoek. Hij drukt op de bel en speurt de gevel af. Wanneer hij ontdekt dat er een pad langs het huis naar de achtertuin voert, begrijpt Annerieke dat ze hem moet vragen wat het doel van zijn bezoek is.
'Hallo,' roept ze, nog steeds geknield tussen de rozen.
Verrast draait de man zich om. Hij kijkt zoekend rond. Dan

ziet hij haar. 'Toch iemand thuis. Ben ik hier goed bij de familie Atema?'
Annerieke hijst zich omhoog. De knieën van haar broek zijn vuil van het zand. 'Jawel.'
De man komt langzaam op haar toe lopen. 'Ik kom misschien ongelegen, maar ik heb een vraagje.' Hij steekt een hand uit en lacht wanneer Annerieke die van haar op de rug houdt. 'Ik zit onder het zand. Mijn naam is Annerieke Atema.'
Hij maakt een kleine buiging. 'En ik ben Daan Agricola. Dat zegt u waarschijnlijk niets of niet veel.'
Annerieke kleurt van genoegen. 'Wel dus. Bent u familie van de kunstschilder?'
Verrast kijkt Daan Agricola haar aan. 'Inderdaad. Zijn naam is bij weinig mensen bekend. Ik hoorde van een antiquair dat hier in huis een werk van hem hangt. Het is niet zo dat ik van plan ben alles te kopen wat hij heeft geschilderd, maar ik heb wel een ander plannetje. Ik fotografeer alles wat grootvader heeft geschilderd om er een boekje van te maken. Een soort overzicht, begrijp je?'
Annerieke knikt enthousiast.
'Ik ben de erfgename van een schilderij dat ooit van mijn oma is geweest. Zij schijnt Johannes Agricola gekend te hebben.'
De tuin en het hardnekkige onkruid zijn vergeten.
'Zal ik het laten zien? Laten we achterom gaan. Dan kan ik in de keuken mijn handen wassen.'
'Ben je een echte tuinierster of is het meer een plicht?' informeert Daan.
Omdat hij langer is dan Annerieke, moet ze opkijken als ze hem wil aankijken. Bij de achterdeur schopt ze haar plastic sandalen uit en ze gaat hem voor de keuken in. 'Plicht.' Ze wijst naar de openstaande keukendeur. 'Daar is de huiskamer. Zoek het schilderij zelf maar op terwijl ik mijn handen boen.'
Wanneer ze zich even later bij hem voegt, staat hij voor het schilderij. Een stap naar achteren, nog een terug. Daan knikt.

'Typisch werk van grootvader. Weet je dat hij dit onderwerp meer dan eens op het doek heeft vastgelegd? Vraag me niet waarom. Dat paadje... Ik vraag me af wat er om de bocht te zien is.'
Annerieke lacht voluit. 'Dat heb ik me mijn hele leven al afgevraagd en er van alles bij gefantaseerd. Het is zo'n simpel gegeven. Niet dan? Je blijft ernaar kijken.'
Daan gaat zitten nog voordat ze hem een stoel heeft aangeboden.
'Zin in koffie? Of zal ik iets koels te drinken halen?'
Daan zegt dat hij wel zin heeft in koffie. 'Je woont hier leuk.'
Annerieke is blij dat ze nog een fles cassis koud heeft staan. Ze heeft dorst gekregen van het werken. Onverwacht bezoek. Leuk bezoek. Ze voelt zich net Yalda wanneer die over Peter Daniëls praat. De koffie is snel gezet, dankzij het nieuwe apparaat waarmee Thea haar verrast heeft, alvast voor de nieuwe keuken.
Daan zit op zijn gemak, en wel zo dat hij het schilderij goed kan zien. 'Het is frappant dat grootvaders landschappen ogenschijnlijk hetzelfde zijn, maar bij nadere beschouwing stuk voor stuk toch net weer iets anders.'
'Schilder jij ook? Ik bedoel: zoiets kan erfelijk zijn.'
Daan schudt zijn hoofd. 'Nooit belangstelling voor gehad. Wie weet wat ik doe wanneer ik later vrije tijd heb, mocht ik mijn pensioen halen. Nee, ik heb het te druk met mijn baan.'
Annerieke knikt en kleurt tegelijk bij de herinnering. Ze heeft voor zijn huis zitten staren. 'Je werkt toch met blinden? Ik bedoel, je werk bestaat toch uit het vervaardigen van ingesproken boeken?'
Daan is verbaasd te horen dat ze hem ergens van schijnt te kennen.
'Werken is te veel gezegd. Ik zit in het bestuur van de Christelijke Blindenbond. Net als destijds mijn vader, mijn grootvader, mijn overgrootvader. Het schijnt dat mijn familie vanaf

het ontstaan van de bond in het bestuur heeft gezeten. En hoewel ik geen zoon heb, nog niet tenminste, hoop ik van ganser harte dat hij op zijn beurt mij zal opvolgen.'
'Zonen doen helaas niet altijd wat hun vaders hopen dat ze gaan doen.' Annerieke denkt aan haar broers en de stroeve verhouding tussen hen en hun vader. Ze besluit te vertellen wat ze te weten is gekomen. 'Puur nieuwsgierigheid. Eigenlijk niets voor mij. Het was een impuls. De naam Agricola komt hier niet zo veel voor, dacht ik. Toen ik op dat bankje vlak bij je huis zat, sprak een oud dametje me aan. Ze was in gezelschap van katten, en dankzij een rollator kon ze voort.'
Daan knikt en zegt: 'Mijn vriendin mevrouw Jongeneel. Bazin van Joris en Kareltje. Tja, die wil wel praten. Ze kent iedereen in de laan. Zo zo, je weet dus via haar waarmee ik me bezighoudt, buiten mijn werk om.'
Annerieke wil dolgraag meer weten over de Blindenbond en de activiteiten ervan.
'Je mag weleens komen kijken, als je belangstelling hebt. Misschien wil je een stemproef doen?' Daan Agricola is een bevlogen man. Eenmaal op zijn praatstoel is hij bijna niet te stoppen. Hij vertelt hoe de organisatie is ontstaan en is uitgegroeid tot een niet meer weg te denken fenomeen. 'Natuurlijk spreken we niet alleen boeken in. Denk aan tijdschriften, vakliteratuur... Men denkt ook vaak dat we uitsluitend met blinden en slechtzienden te maken hebben, maar niets is minder waar. Er zijn meer doelgroepen die we bedienen. Sommige mensen met een handicap bijvoorbeeld zijn niet in staat een boek te hanteren. Ideaal is voor hen het gesproken boek.'
'Hoe het allemaal begonnen is? Daan straalt terwijl hij vertelt. 'Begin vorige eeuw was er een predikant die te maken had met blinden. Helaas had hij niet, zoals nu, de beschikking over christelijke lectuur, bijbels, lesboekjes, zangbundels. Hij schakelde een dame in die raad wist: samen met anderen ging ze aan de slag om met de hand een en ander te verzorgen. Hoe?

Met behulp van een sjabloon in de vorm van een liniaal, reglette geheten, en een prikpen. Zie je het gebeuren? Lettertje voor lettertje in het papier geprikt. Wat een geduld moeten die vrouwen hebben gehad. Dat was, meen ik, zo omstreeks 1912, dus ongeveer een eeuw geleden. En moet je nu eens kijken wat we hebben. Echt, het is een door God gezegende instelling.'
Het duizelt Annerieke wanneer Daan vertelt over computergestuurde straten. Wat moet ze zich daarbij voorstellen? Het blijkt een computergestuurd proces te zijn van het braille printen tot en met de slothandeling, het inpakken.
De koffie wordt koud, maar dat deert Daan niet.
Annerieke informeert of hij weleens spreekbeurten houdt. 'Ik denk dat veel mensen totaal onbekend zijn met wat jullie zoal doen. Neem mij als voorbeeld. Zal ik trouwens, voordat je verder gaat, nog eens koffie halen? Warm is koffie wel zo lekker. Een koude bak kun je nauwelijks meer een bakje troost noemen.'
Daan lacht en zegt dat hij beseft dat hij zoals gewoonlijk doordraaft. 'Dat komt door mijn enthousiasme, mijn liefde voor mijn activiteiten voor de bond.'
Annerieke brengt koffie voor Daan, en nu ook een bakje voor zichzelf. De manier waarop Daan over de Blindenbond vertelt en over alles wat ermee samenhangt, heeft indruk op haar gemaakt. Prima toch dat er mensen zijn die zich zo voor de medemens weten in te zetten. Hij heeft een doel. Zijn dagen worden goed besteed. Het schiet ineens door Annerieke heen: Daan gebruikt de door God gegeven gaven goed. Hij woekert ermee en stopt ze niet in de grond om ze te bewaren. Wanneer ze weer op haar stoel zit, en Daan van de hete koffie nipt, zegt ze spontaan best eens een kijkje te willen nemen bij de organisatie om een nog beter beeld te krijgen van wat daar zoal gebeurt.
Daan grijnst haar breed toe. 'Dan mag je reclame voor ons

maken. We hebben altijd donateurs nodig. Er komt zo veel bij kijken, Annerieke. En dat alles is ontstaan uit liefde voor de blinde medemens. En de gehandicapte, niet te vergeten.'
Af en toe terwijl hij praat, dwalen zijn ogen naar het schilderij, ontdekt Annerieke. 'Ik zou die dingen best eens willen zien. De – hoe zei je het ook weer? – reglette bijvoorbeeld. Een prikpen kan ik me nog wel voorstellen van vroeger.'
'Ja ja, dat waren in de kleuterklas gemene wapens voor kleine jongens. Je kon er de meisjes stiekem mee in hun arm prikken en onschuldig naar de juf kijken.'
Het praat gemakkelijk met Daan. Annerieke betrapt zich erop dat ze met de minuut nieuwsgieriger wordt naar zijn achtergrond. Ze gaat ervan uit dat hij getrouwd is. Zo'n aantrekkelijke man kan niet lang vrijgezel blijven, denkt ze naïef.
Wanneer de koffie op is, haalt Daan een digitale camera uit de zak van zijn colbert. 'Ik ben benieuwd hoeveel schilderijen van opa te achterhalen zullen zijn. En dan de hamvraag: wat bezielde de man om er zo veel van hetzelfde paadje te maken?' Hij laat Annerieke op het schermpje de opname zien.
'Heeft je opa geen dagboek bijgehouden waarin hij bijzonderheden opschreef? Maar misschien is dat meer iets voor vrouwen.' Ze vertelt dat er een opdracht achter op het schilderij staat. 'Het bewijs dat het mijn eigendom is. Je moet weten dat mijn broers er beiden op uit waren het stuk na de dood van mijn ouders in hun bezit te krijgen. Ik had geen zin om te gaan vechten, ook al wilde ik het dolgraag hebben. Ooit heeft iemand uit de familie de achterkant met keukenpapier afgeplakt, en nu bleek dat daaronder te lezen was dat oma het aan mij naliet. Alleen omdat ik haar naamgenote was.'
Daan grinnikt en zegt dat hun grootouders misschien wel iets met elkaar gehad hebben. 'En als jij ook nog eens op je oma lijkt, kan ik me dat best voorstellen.'
Annerieke bloost. Ze is niet gewend aan dit soort conversatie. Wat wil je? Ze is al zo lang uit de running. Omgang met leef-

tijdgenoten is haar nog net niet vreemd. 'Dus je dagelijks werk ligt niet bij de CBB?' informeert ze terwijl ze met Daan mee naar buiten loopt.
Bij het hekje blijft Daan staan. Hij kijkt op Annerieke neer. 'Ik zou bijna zeggen: was het maar waar. Ik ben bezig mijn vader op te volgen als directeur van een papierfabriek. We fabriceren onder meer speciaal papier voor braille-uitgaven. Dik papier, dat in grote rollen wordt afgeleverd en in de drukkerij de zogeheten computerstraat in gaat. Automatisch, uniek in Europa. Om trots op te zijn, echt waar. Ik kan het moeilijk uitleggen. Je moet het zien. Er wordt blanco papier ingevoerd, en de machines doen de rest. Aan het eind van de 'straat' rollen de ingepakte bestellingen op de band. Geëtiketteerd en al. Tijdschriften, folders, medicijnrecepten, te veel om op te noemen. Zal ik je bellen voor een afspraak?'
Annerieke straalt, maar ze merkt het zelf niet.
Daan wel. Hij ziet de lichtjes in haar ogen. Zo'n onbedorven indruk maakt het, vindt hij. Net als bij een jong kind.
'Nou, graag zeg.' Ze krijgt een stevige hand.
Wanneer Daan naar zijn auto loopt, kijkt hij nog even over zijn schouder. 'Succes met je tuintje.'
Annerieke kijkt hem na.
Hij keert de auto behendig en rijdt toeterend langs haar heen.
'Aardige man,' zucht Annerieke, en met nog minder animo dan voorheen hervat ze het wieden.

De volgende ochtend meldt zich opnieuw bezoek. Tante Bette. Haar gezicht gaat bijna schuil achter een enorme bos bloemen. 'Annerieke, ik dacht dat jij je wel eenzaam zou voelen nu je huisgenoten op vakantie zijn. Hoe staan de zaken?'
Annerieke is verrast. Ze lacht, maar laat niet merken dat de nieuwe haarkleur van haar tante daar de reden voor is. Donkerbruin met een grote pluk wit-geel boven op de kruin.
'Heftig, niet?' Bette legt de bloemen in Anneriekes armen. 'Ik

was toe aan iets nieuws. Kom op, pak een vaas. Dan drinken we daarna buiten samen koffie. Ik heb zo veel te vertellen, meid.'

Annerieke zet de vaas met de zomerbloemen buiten op de tuintafel.

Bette laat zich in een stoel zakken en heft haar gezicht naar de zon. 'Moet ik helpen?' roept ze, wetend dat dit een overbodige vraag is.

'Ik ben al klaar. Koffie. En cake. Die heeft Thea gebakken voordat ze wegging. Je kijkt vrolijk, tante Bette.'

Bette knikt. 'Ik zal het kort houden. Mijn zoon en zijn vrouw verwachten een kindje, terwijl ik altijd dacht dat hun gezin compleet was. Hij belde op en vroeg of ze mochten komen om iets geweldigs te vertellen. Alsof er niets aan de hand is geweest. Enfin, je weet hoe mijn manlief is. Hij wist meteen de juiste toon aan te slaan. Je weet hoe ik ben, nogal spontaan, en dan flap ik er van alles uit. Wat niet altijd goed valt. Enfin. We mochten zelfs helpen de babykamer in te richten. Met geld, als je me begrijpt. Ja, ze hadden reden voor een feestje. Want hij heeft ook nog eens promotie gemaakt, en dat in deze tijd. Wij werden uitgenodigd. En daar, bij zoon en schoondochter, troffen we de andere kinderen ook. Eerst verliep alles wat stroef. Maar de kleinkinderen... O, Annerieke...' Opeens lopen de tranen over Bettes wangen. 'Let er maar niet op. Dat zijn vreugdetranen. Om dat spul weer te zien, ze te knuffelen... Ze waren zo groot geworden in de maanden dat we ze niet mochten zien.'

Annerieke legt een hand op een arm van Bette. 'Ik ben zo blij voor je. Echt, we hebben met je meegeleefd. Kun je het ook vergeven en vergeten?'

Dat kan Bette als geen ander. 'Ze waren wel verbaasd. Dat kon ik aan alles merken. Dat ik niet bij de pakken was gaan neerzitten, een baantje heb, met vriendinnen tennis en zwem... Enfin, nu maar hopen dat het nooit weer gebeurt. Schenk me

nog maar wat koffie in, Annerieke. En dan ben jij aan de beurt om te vertellen wat je plannen zijn.'
Plannen? Annerieke lacht maar wat en haast zich naar de keuken om de koffiekan te halen. 'Ik heb niets te vertellen. Het is wachten op de mensen die de verbouwing gaan doen. Daar zie ik best tegen op. Ik neem aan dat Thea weer bij Titus intrekt. Ze hebben de jongen ook nog. Peter. Hoe zou zich dat in de toekomst ontwikkelen? Vraagje: er komt toch een bruiloft?'
Bette meent zeker te weten van wel. 'Mijn zus laat niet langer met zich sollen. Ik moet er niet aan denken onmin met mijn kinderen te hebben wanneer er zoiets als een bruiloft in de familie gaat plaatsvinden. En het huis... Thea zal hier nooit met Titus intrekken. Of ze het uiteindelijk verkoopt? Ik weet het niet, Annerieke. Waarschijnlijk wil ze dat jij hier blijft wonen.'
Bette ratelt door, vertelt over de vorderingen op de tennisbaan en het plezier in haar werk. 'Ik ga vaker naar mijn bejaarde dame dan was afgesproken. Ze laat zich graag voorlezen. Ze laat zich dvd's met ingesproken boeken toesturen. Er is een of andere bond die dat soort zaken verzorgt.'
Annerieke veert op en vertelt dat ze Daan Agricola op bezoek heeft gehad. 'De kleinzoon van de schilder van het schilderij in de kamer.'
Bette is een en al belangstelling. 'Ga je in op zijn verzoek je rond te leiden? De Blindenbond... Ik weet er niets van. Mijn werkgeefster zal best nieuwsgierig zijn een verslag van je te krijgen.'
Wat het drinken van koffie betreft, is tante Bette bijna onverzadigbaar. Annerieke kan haar niet bijhouden. Wanneer het bezoek ten einde is, kan dat van de cake ook gezegd worden. Er is niet veel van over.
'Bedankt voor de bloemen, tante Bette. Ik zet ze gauw in de kamer, voordat ze slap worden van de warmte.'
'Doe dat, meisje. Bedankt dat je zo lief naar me hebt geluisterd. Ja, dankzij mijn problemen zijn we elkaar nader ge-

komen. Hartelijk dank voor alle lieve dingen. Je bent me echt tot steun geweest. Kom maar eens gauw langs.'
Wanneer Annerieke eenmaal binnen is, rinkelt de telefoon. Ze duikt op het apparaat af. Misschien is het Daan, die een afspraak wil maken. Helaas, ze zal het met Thea moeten doen, die minstens zoveel te vertellen heeft als haar zus.
Ze eindigt met: 'Ik maak me ongerust over jou, Annerieke. Je zit daar maar in je eentje. Je zou er ook even uit moeten, net als de rest van de bevolking.'
Annerieke beweert dat ze er nog niet aan toe is.
Thea is opeens verrukt van de oude paden op de Veluwe. Nu ze erbij betrokken wordt, groeit de belangstelling met de dag. En, niet te geloven, ook Peter Daniëls is gegrepen door de hobby van Titus.
Annerieke is blij voor hen allemaal, maar dat neemt niet weg dat ze zich eenzamer voelt dan ze ooit is geweest.

13

IEDERE DAG BRENGT DE POST NIEUWE KAARTEN, uit voor Annerieke onbekende bestemmingen. De meeste zijn bestemd voor Yalda en Thea. Annerieke steekt ze in de rand van de spiegel die in de hal boven een klein tafeltje hangt. De ansichten van Yalda uit het zuiden van Frankrijk roepen opeens een haar onbekend verlangen in haar op. Reizen, ze is er nooit aan toegekomen.

Thea en Titus hebben een tripje over de grens gemaakt en ze hebben de moeite genomen om iets van zich te laten horen. 'We genieten van elkaar en van de omgeving,' laat Thea weten.

Dan nog een kaart voor Annerieke, afkomstig van niemand minder dan Daan Agricola. 'De Ardennen. Schitterend is het hier. Jij zou er ook vast genieten. Ik heb niet meer dan een weekje, te kort eigenlijk. En ik wil je laten weten dat ik met genoegen terugdenk aan ons eerste contact. Daan A.'

Hij heeft zo klein geschreven dat Annerieke het bijna niet kan lezen. Genoegen, ja, zij denkt ook met genoegen terug aan zijn bezoek. Ze drukt de kaart tegen haar wang. Wanneer ze zichzelf in de spiegel ziet staan, slaan de vlammen haar uit. Raar, jezelf zo te zien blozen. Ze schuift de kaart in de onderste rand en telkens wanneer ze erlangs loopt, maakt haar hart een sprongetje. Ze beseft heel goed de reden: ze is niets gewend op het gebied van contacten met anderen, met mannen. Aanvankelijk werd ze in beslag genomen door de ziekte van haar ouders. Later deed ze geen moeite meer om de contacten en oude vriendschappen te onderhouden. Relaties die niet van twee kanten worden onderhouden, zijn gedoemd te sterven. Dat heeft ze zelf ervaren. En nu is er opeens Daan binnen haar blikveld. Het is logisch dat dit haar opwindt. Het heeft, zo houdt ze zichzelf voor, niets met verliefdheid te maken.

Wanneer toch nog onverwachts de bouwvakkers zich melden, heeft ze wel iets anders te doen dan te mijmeren over liefde. De keuken moet leeggeruimd worden, wat meer dan een dagtaak is. In de supermarkt haalt ze grote en vooral stevige bananendozen. Wat een geluk dat het huis een kelder rijk is. Ideaal als opslagplaats. Al inpakkend ontdekt Annerieke dat er best veel weg kan. Kopjes met barsten, kopjes zonder schotel. Ze wordt met het uur kritischer. Zeven pannen heeft ze nooit tegelijk nodig. Ze zoekt de meest gedeukte exemplaren eruit en mikt ze in de container. Zo ook met het bestek. Ze herinnert zich dat haar ouders veel spulletjes geërfd hebben van ouders en andere familieleden. Nooit mocht er iets weg wat nog gebruikt kon worden, onder het motto 'je weet maar nooit'. Geleidelijk aan krijgt ze plezier in het werk. Schoon schip maken. Ooit las ze ergens dat het opruimen van je omgeving tegelijkertijd ruimte zou scheppen in je hoofd, en dat is iets wat ze goed kan gebruiken. Wanneer de keuken ontdaan is van gordijntjes, spulletjes en wandversiering, is het alsof er een inbraak is geweest. Nu pas ziet ze dat de muren verkleurd zijn, het plafond smerig is, en de kastdeurtjes niet allemaal meer goed sluiten. Maar als het aan haar had gelegen, zou er nooit een nieuwe keuken gekomen zijn.
De volgende dag om halfacht staat een ploegje werklui op de stoep. Eerst slopen. Daarna pas kan met opbouwen begonnen worden.
Annerieke zet koffie in de huiskamer.
Op tafel staat de magnetron naast het koffiezetapparaat en het serviesgoed dat ze nodigt denkt te hebben.
Vanuit de keuken komt harde muziek, de bassen denderen door het huis. Alsof Yalda uit haar dak gaat.
Op een gegeven moment wordt het Annerieke te bar en ontvlucht ze de woning.
Esther en Wieger zijn terug van vakantie en nodigen haar uit te blijven eten. 'Kun je meteen helpen met de babywas. Alles

is gewassen, maar nu de strijk nog.' Esther is, zo lijkt het, in één week een stuk zwaarder geworden. 'Ik tel nu in weken en dagen, niet meer in maanden.'
Wanneer Bette te horen krijgt dat Annerieke werklui over de vloer heeft, komt ze poolshoogte nemen. 'Je moet alles wel in de gaten houden, Annerieke. Voordat je het weet, metselen ze een muurtje waar het niet moet komen, of zetten ze de kastjes op de verkeerde plaats.'
Dat wil er bij Annerieke niet in. 'Alles staat beschreven, tante Bette. Die mannen weten wat ze doen. Maar het maakt op mij wel de indruk dat het nooit af komt. Ze hebben een spoor van de keuken naar de auto op straat gemaakt. En dan te bedenken dat er nog meer moet gebeuren. De badkamer, verwarming...'
Bette knikt alsof ze de wijsheid in pacht heeft. 'Dat bedoel ik. Stel dat ze iets aanbrengen en dat later moeten openbreken omdat er eerst verwarmingsbuizen of weet ik wat nog meer bevestigd hadden moeten worden.'
Onverwacht duiken Thea en Titus op.
Thea zegt meelevend: 'Dat heb ik je aangedaan, Annerieke. Nou ja, het wordt eerst slechter voordat het beter wordt, zegt men, en dat is ook zo.'
Titus loopt door het huis alsof hij kennis van zaken heeft, terwijl hij, denkt Annerieke, waarschijnlijk zelden een hamer heeft hoeven vasthouden.
De radiomuziek wordt getemperd. Dat is één voordeel. 'Maar dat moet je ook zeggen, lieverd.'
Titus stelt voor dat Annerieke met hen meegaat om buiten de deur te eten. 'Even weg uit het stof en de herrie.'
Tijdens de gezellige maaltijd op het terras van een restaurant, krijgt Annerieke de laatste nieuwtjes te horen. De bruiloft is eind september gepland.
'Eerder kon niet,' grinnikt Titus.
'En Peter?' informeert Annerieke.
Thea pakt een hand van Titus. Ze kijken elkaar innig aan. 'Die

wil niets liever dan onze zoon zijn, zonder zijn opvoeders, zijn ouders, tekort te doen. Ik denk dat het anders zou zijn als ze nog in leven waren. Hij heeft veel van hen gehouden. Nee, we zijn geen concurrenten. Denk niet dat alleen Titus en ik het moeilijk hebben gehad met al dat nieuwe. Het was voor de jongen ook zwaar. Dat hij bijna geaborteerd was. Dat hij is afgestaan. Meer van dat soort dingen. Enfin, het heeft allemaal tijd nodig. Maar het komt goed. Dat weten we alle drie zeker. Zo is het toch, Titus?'
Titus en Thea maken een stabiele indruk. Ze lijken bijzonder zeker van elkaar te zijn, en dat stemt Annerieke blij.
'Je zou met ons mee moeten gaan. Het is geen doen in die troep te leven. Wat jij, Titus?'
Titus vindt het een goed idee.
'Volgens tante Bette moet ik een toeziend oog houden op de verrichtingen.' Annerieke gluurt even over de rand van haar zonnebril om haar lachende ogen te laten zien.
'Dan moet Bette dat zelf maar doen,' vindt haar zuster.
Mee naar Apeldoorn?
Thea merkt op dat ze de hulp van Annerieke best kan gebruiken. 'We hebben alles wel gepland, zaaltje gehuurd en dat soort dingen, maar dat neemt niet weg dat we de hele kwestie nog moeten doorlopen en grondig controleren. Titus wilde de receptie eerst thuis houden, maar daar hebben we toch van afgezien. Het parkeren van de auto's van de bezoekers zou op zich al een probleem worden. En ik wil dat jij me helpt bij het uitkiezen van een geschikte japon.'
'Met genoegen. Heb jij ook nog hulp nodig, Titus?'
Titus staat op met de pinpas in de hand, klaar om af te rekenen. 'Wie weet, wie weet, Annerieke.'
Zodra ze in het huis terug zijn, handelt Thea met de aannemer alles af wat nog onduidelijk is, wat de verbouwing betreft. Mochten er problemen zijn, dan zullen Bette en Max ingeschakeld worden.

Zo komt het dat Annerieke toch nog een minivakantie heeft. Winkelen met Thea vraagt veel energie van hen beiden, maar het lukt hun de jurk met bijbehorend capeje te vinden. Annerieke geniet van de tuin en de bossen en zoekt de bekende plekjes op. Er is niets veranderd, alleen de sfeer in huis.
Thea en Titus laten zien dat hun relatie stabiel is.
Thea gedraagt zich nu meer dan voorheen als de vrouw des huizes.
In het weekend komt Peter logeren. Hij heeft een eigen kamer in huis. Het valt Annerieke op dat hij inderdaad sprekend op zijn biologische vader lijkt. En het ontroert haar onzeglijk dat Thea hem zo liefdevol gadeslaat.
Maandagochtend neemt hij Annerieke mee terug naar huis.
'Als het niet te harden is, kom je gewoon terug,' bedingt Thea. 'Dan gaan we voor jou shoppen.'
Wanneer Annerieke eenmaal thuis is, slaat het weer om. Het lijkt wel herfst. Gelukkig is de keuken zo goed als klaar en kan ze een begin maken met de inrichting van de kasten. Alsof ze in een vreemd huis bezig is... Niets herinnert meer aan de oude vertrouwde keuken. Dat moest haar moeder eens kunnen zien. Een vaatwasser die zo goed als geruisloos zijn werk doet. In de bijkeuken is ook verwarming gekomen. Daar staat de droogtrommel boven op de wasmachine.
Een ploegje mannen is bezig met de badkamer, terwijl anderen gaten in muren en plafonds boren waar de verwarmingsbuizen doorheen geleid moeten worden.
De thuiskomst van Yalda is een heftig gebeuren. Ze slaakt kreet na kreet en ziet er zongebruind en bijzonder goed uit. 'Arme jij, Annerieke. Hoe lang zit je al in die troep? Goed dat ik er ben. Nog iets gehoord van iedereen? Peter en zo...?'
Zo te zien en te horen heeft ze van haar vakantie genoten. Annerieke krijgt een verslag van dag tot dag.
Yalda blijft maar doorratelen. En passant bekijkt ze de kaarten in de gangspiegel. 'Wie is in vredesnaam Daan?' Ze is dol-

enthousiast wanneer ze hoort hoe Daan Agricola in hun kringetje is terechtgekomen. 'Wanneer hij jou meeneemt naar die blindenboekendrukkerij, wil ik ook mee. Gaaf om te zien. Misschien kan ik het allemaal ooit gebruiken voor een werkstuk. Dan interview ik ook de mevrouw voor wie tante Bette werkt.'
Nu Yalda thuis is, lijken de verbouwingstoestanden opeens minder lastig en zwaar. Ze flirt met de werklui, zet koffie en haalt lekkers bij de bakker. En in een vertrouwelijke bui zegt ze tegen Annerieke dat ze tegen het laatste schooljaar opziet als tegen een berg. 'Vanwege die therapie. Alsof ik mezelf niet kan redden. Eigenlijk zouden mijn ouders in therapie moeten. Sandrien en Dick. Jawel, mensen die een kind adopteren, beseffen vast niet goed waaraan ze beginnen. Ze doen maar wat. Ze spelen opeens vadertje en moedertje. Zo is het bij ons gegaan, denk ik. Hm, misschien wil ik later ergens werken waar je met dit soort dingen te maken krijgt. Aanstaande ouders begeleiden en dat soort dingen. Wat vind jij daarvan?'
Tijdens het intieme gesprekje zitten ze samen op het terras, waar het een rommel van jewelste is. Overal slingeren resten van gebruikt materiaal, planken, stukken buis en voor hen niet te identificeren spullen.
Yalda zegt: 'Eigenlijk is rommel en troep ongezellig. Wanneer zijn ze klaar met de verbouwing?'
Annerieke haalt berustend haar schouders op. 'De keuken is af, de badkamer bijna. Ik zal blij zijn wanneer ik weer normaal onder de douche kan. Ik ben het getut in de keuken bij de kraan beu, Yalda. De mannen die de verwarming vervangen, zijn van een ander bedrijf dan die van de keuken en de badkamer. Alle leidingen worden vernieuwd, en er komt een nieuwe ketel. Ik vraag me af of Thea, als ze had geweten dat ze hier niet zou komen wonen, ooit aan die verbouwing begonnen was. Of ze überhaupt het huis gekocht zou hebben.'
'Het is in ieder geval nu veel meer waard dan het was,' zegt Yalda op een toon alsof ze kennis van zaken heeft.

Yalda zegt dat ze niet alleen opziet tegen de therapie tijdens het laatste schooljaar, maar ze is bang dat ze, eenmaal thuis, weer in de problemen komt. Ze vraagt of ze niet voorlopig bij Annerieke mag blijven wonen. 'Dankzij Thea, en natuurlijk ook dankzij jou, ben ik een bende dingen anders gaan zien,' zegt ze. 'Mijn ouders staan altijd meteen met hun oordeel klaar, en tja, dan zet ik mijn stekels op. Logisch toch?' Dan brengt Yalda het gesprek op Peter Daniëls. 'Komt hij nog weleens langs? Of rijdt hij meteen door naar Apeldoorn? Ik zou zo graag nog eens met hem praten zoals die eerste keer. Nog nooit heb ik iemand gesproken die me zo begreep. Weet je, misschien maak ik een website die bedoeld is voor meiden die in dezelfde situatie verkeren als ik. Dat is zo gek nog niet. Help me eens een leuk pseudoniem te bedenken.'
Annerieke probeert mee te gaan in de gedachtegang van Yalda. 'Een forum, discussies, ervaringen uitwisselen, alles in het positieve. O, ik ben jaloers op Peter dat hij wel achter zijn identiteit is gekomen. Weet je wat Thea zegt en probeert me in mijn hoofd te stampen? Dat we allereerst kinderen van God zijn, en dat Hij als Vader meer van me houdt dan een eigen pa ooit gekund zou hebben. Als Sandrien en Dick nu eens anders waren geweest. Iets, tja, hoe moet ik het zeggen, iets warmer. Zoals jij en Thea. Misschien was ik dan wel een braaf meisje geworden.'
Annerieke zegt dat Yalda absoluut terug moet naar huis. Want daar hoort ze. 'Je moet leren opener te zijn tegenover je ouders. Praten, altijd maar weer praten. Misschien moet je leren dingen te verdragen. Dat is niet altijd makkelijk. Maar je hebt uitzicht: ooit ben je klaar met je opleiding, en hopelijk ben je dan in staat op eigen benen te staan. Dan kun je je leven inrichten zoals het je goeddunkt. Dat moet ik *nu* nog leren. En dat valt niet mee.'
Yalda kijkt naar Annerieke alsof ze haar voor het eerst ziet. 'Zo heb ik het nog nooit gezien. Jij leefde echt geïsoleerd. Ik kwam

niet graag bij opa en oma op bezoek. Alsof ze altijd al oud zijn geweest. Zo star was alles hier. En jij was een soort huishoudster. Wat zonde dat ik als kind niet verder heb gekeken. Want nu pas ken ik je beter, Annerieke. Je bent eigenlijk mijn liefste familielid.'
Daar kan Annerieke het mee doen. 'Ik heb jou altijd als een leuk nichtje gezien. Je was vooral als hummel schattig om te zien. Nu durf ik te zeggen dat ik van je ben geschrokken toen je hier pas logeerde. Tegendraads. Je bent de laatste weken echt opgeknapt.'
De mannen zijn bijna klaar met de badkamerklus en willen van Annerieke weten waar de plankjes moeten komen. 'Wat op de tekening staat, is niet bepaald handig. Loopt u even mee?'
Yalda kijkt haar na en zakt nog wat verder achterover in haar stoel. Ze heft haar gezicht op naar de zon, die warm is. Ze stroopt de mouwen van haar shirt op en voelt met een vinger over de littekens. Sukkel die ze is geweest. Maar anderzijds zijn de voormalige wondjes een soort waarschuwing. Grenzen. Ze heeft de laatste tijd geleerd waar haar grenzen liggen. Hm, nu klinkt ze als een volwassene. De opgedane ervaringen en kennis zal ze in het komende schooljaar hard nodig hebben. In ieder geval staat ze nu zekerder in haar schoenen dan ooit. Ze steekt haar armen voor zich uit naar de zon. In Frankrijk liep ze ooit in topjes en in bikini. Waarom zou ze dat hier niet doen? Bovendien is er een troost: ze is niet de enige in de wereld die littekens heeft.

14

THEA KOMT DE VERBOUWING KEUREN. DE ROMmel is zo goed als opgeruimd en het enige wat er nog aan mankeert, is de rekening. Alles blijkt tiptop in orde. Afscheid van de bouwvakkers.

'Nog bedankt voor de koffie en de thee,' merkt een van hen op bij het afscheid.

'En de biertjes en de frisdrank,' vult een ander aan.

Annerieke ziet hen met vreugde vertrekken.

'Ben je tevreden, Annerieke? Je woont nu in een zo goed als nieuw huis. Heb je al plannetjes voor werk of een studie? Titus en ik willen je graag helpen, als we kunnen.'

Thea schuift een grote doos met eigendommen door de gang naar de voordeur. Samen tillen ze het ding naar haar auto, en wanneer de achterklep met een smak dichtvalt, zegt Thea: 'Zo, nu is het huis van jou. Dan kun je mijn kamer een andere bestemming geven.'

'Weet je nog hoe je hier kwam? Ik snapte na het uitpakken van de auto niet dat alles erin had gekund.'

Thea laat haar blikken langs de gevel glijden. 'Volgend voorjaar moet er geschilderd worden. Niet jouw zorg, maar die van de huisbaas, en dat ben ik. Lieverd, beloof me dat je belt wanneer je hulp of wat dan ook nodig hebt?'

Ze klemmen zich een paar momenten aan elkaar vast.

'Dank je voor alles, Thea. Ik verheug me op jullie bruiloft.'

Thea mikt haar handtas op de achterbank. 'En anders ik wel. We bellen, Annerieke.'

'Groetjes aan Titus.'

Terwijl de auto de hoek om draait, loopt Annerieke langzaam het huis binnen. Ze beseft dat er een nieuwe periode in haar leven is aangebroken. Thea en Yalda, twee logees, waren niet meer dan een intermezzo. Nu moet ze alleen verder.

Tegen vijf uur wordt het avondblad bezorgd. Annerieke spreidt de krant uit op tafel, slaat de alarmerende hoofdartikelen bewust over en bladert door naar de advertentiepagina's. Studeren? Ze zou niet weten welke richting. Bovendien heeft ze absoluut geen zin in studieboeken. Maar voordat het winter wordt, wil ze vastigheid. Iets vinden waarvoor ze leeft. Een doel moet ze zoeken. Had ze meteen na de middelbare school maar doorgetast. Misschien was het toch mogelijk geweest voor haar moeder te zorgen en aan haar toekomst te werken. Het geluid van de bel laat haar schrikken. Zou hij het zijn? Naar de voordeur lopend pakt Annerieke zichzelf aan. Belachelijk als een Yalda met hartkloppingen te hopen op een levensteken van Daan Agricola.
'Dag, Annerieke. Wat leuk je te zien. Hopelijk kom ik niet ongelegen?' Toch Daan.
Annerieke verschiet van kleur en moet even langs haar lippen likken voordat ze een zinnige reactie kan geven.
'Ja ja. Ik bedoel natuurlijk nee. Je komt niet ongelegen. Kom verder.' Ze krijgt een hand die zo stevig is dat ze na vijf minuten de druk op haar vingers nog voelt.
'Het ruikt hier nieuw. Je bent toch niet aan het klussen? Verf, cement, dat soort luchtjes komen op me af.'
Annerieke zegt haastig zelfs niets met klussen te hebben en vertelt over de verbouwing.
'Dan is er een flink stuk zomer voor jou verloren gegaan.' Daan laat zich in de stoel zakken die voorheen door vader Atema gebruikt werd. Meteen zoeken zijn ogen het schilderij.
'Maar ik heb er ook iets voor terug. De keuken en de badkamer zijn vernieuwd, en er is een nieuwe verwarmingsketel geplaatst. Heb je trek in koffie of thee?'
'Ik ben een koffieman. Nog net niet verslaafd. Af en toe heb ik een stoot cafeïne nodig.'
In de keuken raapt Annerieke zich weer bij elkaar. Het mag duidelijk zijn: ze is verliefd. Nu is het zaak dat te verbergen.

Na een paar slokjes koffie genomen te hebben vertelt Daan wat de reden van zijn bezoek is. 'Ik dacht aan onze afspraak. Je wilde toch graag een rondleiding om meer van de Blindenbond te weten te komen? Wat dacht je van morgen? Ik kan me vrijmaken, en het zou fijn zijn als jij tijd had.'
Annerieke straalt. Haar ogen glanzen hem tegemoet, een antwoord op zichzelf.
'We maken er een gezellige dag van. Dat moest opa Agricola eens weten: zijn schilderij brengt mensen bij elkaar. Hoe laat kun je klaar zijn? Het is natuurlijk een stukje rijden, zoals je begrijpt. Ooit in Ermelo of omstreken geweest?'
Annerieke vertelt over haar tante, die in Apeldoorn woont. 'Aan de andere kant van de Veluwe. Met haar heb ik wel tochtjes gemaakt. Uddel, Putten, Harderwijk. En ook zijn we naar de Veluwezoom geweest. Dieren, Ellecom, Rheden, Velp, Arnhem.' Ze schiet in de lach. 'Het klinkt als een rijtje dat je op school moest kunnen opzeggen. Maar nee, in Ermelo ben ik nooit geweest.'
Daan vertelt over de trektochten door de bossen die hij als jongen heeft gemaakt. 'Met een minitentje van camping naar camping, al wilden we liever in het wild kamperen. Verboden dus. Af en toe bij een boer. Geweldig vonden mijn broer en mijn vrienden en ik dat.'
Heel even hapert Daans stem, en wanneer Annerieke naar zijn broer informeert, kan hij kort zijn. Die broer is met zijn vrouw verongelukt. Hij praat er liever niet over. Over andere dingen gaat praten met Daan vanzelf. Trots vertelt hij nog een schilderij van grootvader gevonden te hebben. 'Bijna hetzelfde als de andere, maar net weer iets anders. Op het laatste doek staan twee mensen, die op het paadje naar de bocht lopen. Zo te zien zijn het geliefden. En alle eigenaren vinden het frappant dat de schilder telkens hetzelfde onderwerp heeft vastgelegd, maar ik heb nog niemand ontmoet die ooit navraag heeft gedaan naar de oorsprong van de doeken.'

Na drie bakjes koffie springt Daan op. 'Ik heb nog een vergadering. We kletsen zo gezellig dat ik de tijd niet in de gaten heb gehouden. Hoe laat kan ik je komen halen?'
Annerieke zou willen roepen: 'Om halfzeven.' Ze haalt quasinonchalant haar schouders op. 'Maakt mij niet uit. Jij bent de chauffeur.'
'Acht uur. Is dat te vroeg?'
Met een blij hart ruimt Annerieke even later de koffiekopjes op. De krant gooit ze bij het oud papier.

Het is eind augustus. De dag begint wat somber, maar halverwege de rit breekt de zon door. Af en toe gluurt Annerieke opzij. Daans handen liggen rustig op het stuur, en een trouwring is niet te bekennen. Maar dat zegt tegenwoordig niet meer zoveel als vroeger, weet ze. De auto ruikt naar leer. 'Hij ruikt nieuw,' heeft ze gezegd.
Daan zit veel op de weg en heeft onlangs met zijn vader van wagen geruild. 'Pa komt maar een paar uur per week op de fabriek. Mijn moeder heeft te kennen gegeven eindelijk eens iets aan haar man te willen hebben. Ze is niet sterk, nooit geweest. En dat terwijl ze de zorg heeft voor de kinderen van mijn broer.' Daan last een pauze in en schudt zijn hoofd alsof hij op die manier onprettige gedachten kan verjagen. Terug naar het onderwerp werk. 'Een eigen bedrijf eist je vaak te veel op. Vooral in moeilijke tijden.'
Af en toe wisselen ze van gedachten, maar de perioden van zwijgen zijn niet onaangenaam of gespannen.
'Wat is ons eigen land toch mooi,' vindt Annerieke wanneer ze langs het meer bij Harderwijk rijden. 'En wat een boten. Mooi, die zeiltjes.'
Voor hen rijdt een auto die een oplegger met een boot trekt. 'Zie je dat ding daar? Zo een hadden mijn ouders vroeger ook. Niet groot, maar reuzegezellig. Vooral het slapen vond ik fantastisch. Ik riep altijd: 'Later wanneer ik groot ben, koop ik ook

een boot, maar dan een grotere.' Hij lacht. 'Het is er nog steeds niet van gekomen.'
Ermelo, het staat op de borden, en Daan weet feilloos de weg. 'Goed te merken dat de schoolvakanties voorbij zijn. Het is een stuk minder druk dan een paar weken terug.'
Annerieke gaat wat rechter zitten wanneer Daan afslaat en met een hand wijst. 'Daar moeten we zijn. Fijn dat je er zo'n belangstelling voor hebt, Annerieke. Misschien deel je straks mijn enthousiasme.' Hij mindert vaart en rijdt een parkeerplaats op. 'Ik weet zeker dat de koffie al klaarstaat.'
Eenmaal uit de auto steekt Annerieke haar neus in de lucht. 'Ik geloof dat ik de bossen ruik.'
Daan snuift mee en knikt. 'Dennen. Kan geen parfum tegen op. Kom op, dan geen we ons melden. Maar eerst wil ik je iets laten zien.' Hij legt in een vertrouwelijk gebaar een hand onder Anneriekes ene elleboog.
Ze regelen hun passen naar elkaar, wat betekent dat Daan kleinere stappen moet nemen. Ze lopen een door struiken en planten omzoomd pad op.
Opeens blijft Daan staan. Zijn hand omklemt nu de onderarm van Annerieke. 'Daar, een beeld. Ik vind het een waar kunstwerk. En weet je waarom? Omdat het zo veel zegt.'
Op een sokkel staan twee handen van metaal die een brailleboek vasthouden.
'En?'
Annerieke kijkt omhoog. Ze ziet de warme blik waarmee Daan naar het kunstwerk kijkt. Ze wordt op slag jaloers op het ding.
'Heel mooi. Het zegt inderdaad veel voor wie het wil zien.'
Daan is tevreden met het antwoord. Hij trekt haar mee.
Even later staan ze in de hal van het gebouw.
Hij haalt diep adem. 'Hier gebeurt het allemaal. Kom, dan stel ik je aan een paar mensen voor.' Hij wuift naar de personen die de receptie beheren.

Even later worden ze begroet door twee mensen die duidelijk goede bekenden van Daan zijn. De directeur en zijn rechterhand, begrijpt Annerieke.
Natuurlijk is er koffie, die klaarstaat in een gezellige vergaderkamer.
Hoe het komt dat Annerieke geïnteresseerd is in de CBB, vragen ze.
Annerieke kijkt hulpeloos naar Daan, die tegenover haar zit. Hij kijkt haar stralend aan en neemt het woord. 'Wij hebben elkaar toevallig ontmoet, moet je weten.' Het verhaal over grootvader Agricola is snel verteld.
'En natuurlijk begon jij meteen over je lidmaatschap van het bestuur,' wordt Daan toegeroepen.
'Zo is het maar net,' lacht Daan. Hij schuift zijn koffiekop in de richting van de koffiekan.
'Misschien heb je wel een geschikte stem, Annerieke, om in te lezen. Er is vlak bij jou in de buurt ook een opnamestudio.'
Annerieke kleurt. Een stemproef is toch net zoiets als een examen? Dat is toch niets voor haar? Wanneer ze hoort dat slechts één op de vier stemmen geschikt is, schudt ze haar hoofd. 'Niet dat ik het niet zou willen, maar naar mijn idee heb ik geen bijzonder stemgeluid meegekregen.' Maar dat, krijgt ze te horen, kan alleen een stemtest uitmaken. Het heeft niets te maken met een stem die geschikt is om te presenteren, te zingen of toneel te spelen. Afgekeurd worden zegt dus alleen iets over bijvoorbeeld een zang- of acteertalent. 'Maar het blijft vrijwilligerswerk. Dus onbetaald.'
'Tijd genoeg,' laat Annerieke zich ontvallen.
Na de koffie kan de rondleiding beginnen. Tot haar verbazing werken er ook enkele visueel gehandicapten in het bedrijf, bijvoorbeeld als technicus die een lezer begeleidt. Het gehoor van de meeste blinde mensen is immers bijzonder ontwikkeld.
'Het lijkt me toch wel wat,' zegt Annerieke spontaan wanneer ze een man achter glas in een geïsoleerd kamertje ziet zitten

met voor hem de microfoon en een boek op een standaard. De technicus luistert scherp of er vergissingen gemaakt worden, of er een klemtoon fout gelegd wordt.
'Wat als er nu eens iets in een boek staat waar je zelf niet achter staat? Bijvoorbeeld schokkende dingen, zoals geweld, erotiek, vloeken. Moet je dat dan toch voorlezen? Ik weet nog dat we vroeger op de basisschool een paar leesboeken hadden die gecensureerd waren.'
Ze krijgt te horen dat alles gelezen moet worden. 'Afspraak met de uitgevers. Bovendien heeft een blinde of slechtziende net zoveel recht om te weten wat er staat als een ziende mens. Ja, er komt meer bij kijken dan men zo op het oog vermoedt.'
Daan komt naast Annerieke staan terwijl ze de verrichtingen van de technicus en de lezer gadeslaan. Hij legt een arm om haar schouders. Het gaat vanzelf. Alsof hij het zelf niet eens merkt.
Wanneer Annerieke te horen krijgt wat er zoal ingelezen wordt, is ze verbaasd. De naam van de stichting kan dan wel de C van 'christelijk' voeren, er wordt toch niet alleen christelijke lectuur en literatuur gelezen. 'Alle genres komen voorbij. Roept u maar.' Zelfs tijdschriften, wordt haar verteld. Om duidelijk te maken wat er zoal speelt, ligt naast een boek een cd van het ingesproken werk, en daarnaast het brailleboek van dezelfde uitgave: twee dikke pakketten.
'Daan had het over een soort straat. Wat wordt daarmee bedoeld?'
Annerieke valt van de ene verbazing in de andere.
'Dat zijn onze rollen papier,' zegt Daan tevreden wanneer ze in een ruimte komen waar enorme rollen dik papier klaarliggen voor gebruik. De rollen worden een machine in gevoerd, en daar begint het proces. In een nevenruimte gaat het verder. Een rij apparaten verricht wonderbaarlijk werk, en als laatste is een inpakmachine druk doende.
'Het duizelt me gewoon. Waarom weten zo weinig mensen

van deze procedures? Tjonge, wat zal dat allemaal niet kosten?' roept Annerieke uit.
Of ze cijfers wil horen.
'Ik ben opeens dankbaar dat ik kan zien. Daar sta je toch zelden bij stil. Maar wat geweldig dat dit allemaal van de grond is gekomen. Mag ik ook zo'n ding, die liniaal en die prikpennen zien? Hebben jullie ook brailletypemachines?'
De directeur en zijn begeleidster genieten van de spontane belangstelling.
De reglette, de mal in liniaalvorm, is een simpel voorwerp, net als de prikpen.
'En dan te bedenken wat er nu mogelijk is. Blinde en slechtziende kinderen leren al heel jong braille. Ze krijgen een computer, die erg belangrijk is, vooral wanneer ze gaan studeren. Tijdens een rondleiding vertelde een moeder van een jong kind dat het tegen de schooljuf had gezegd: 'Nu ik brailleboeken lees, kan ik stiekem in bed lezen nadat mijn moeder heeft geroepen dat we moeten slapen.'
De ochtend vliegt voorbij. Annerieke krijgt documentatiemateriaal in haar handen geduwd, zodat ze thuis alles nog eens kan nalezen. En Yalda kan het eventueel gebruiken voor een werkstuk.
'We begonnen met bandrecorders, die nu beslist uit de tijd zijn. Later kwam de cassetterecorder, met bandjes. En nu is het de cd-rom. Wie weet wat de volgende stap is.' Daan wijst Annerieke op een speciaal afspeelapparaat voor cd-roms. 'Dat ding is een Daisy-speler. Ik heb mijn hondje ernaar genoemd: Daisy,' verklapt Daan.
Het afscheid is allerhartelijkst. Met spijt kijkt Annerieke om zich heen. 'Als ik hier in de buurt woonde, zou ik best bij jullie willen werken, al zou ik niet weten in wat voor functie.'
Daan kijkt haar met een schuin gehouden hoofd aan. 'Misschien is een bestuursfunctie iets voor je? Of toch maar inspreken? Dat is toch te proberen?'

De directeur geeft hun een hand en merkt op dat reclame voor de stichting maken ook waarde heeft. 'Donateurs, Annerieke, kunnen we altijd gebruiken.'
Daarop zegt Annerieke dat ze haar familieleden zal opporren om donateur te worden.
'Kom nog maar eens terug als je in de buurt bent,' stelt de rechterhand van de directeur voor.
Eenmaal buiten blijft Annerieke nog een moment bij het beeldje staan. 'Nu vind ik het nog mooier dan daarnet. Het voelt aan alsof ik bij vrienden op bezoek ben geweest, Daan. Fijn dat je me hebt uitgenodigd.'
Weer valt heel even die arm om haar schouders. 'Geweldig dat je het gewaardeerd hebt. Nou, we hebben de tijd. Wat dacht je van een lekkere lunch in de winkelstraat? Het is hier een toeristendorp. Er zijn gelegenheden in overvloed. En lijkt een wandeling over de Ermelose heide je wat? Met een beetje geluk bloeit er hier en daar heide. En misschien ontmoeten we een wild zwijn. Dan heb je thuis iets te vertellen.'

Wanneer ze na een gezellige lunch en een meer dan geweldige wandeling naar huis rijden, denkt Annerieke aan de opmerking die Daan na de rondleiding maakte. 'Dan heb je thuis iets te vertellen.' Meer dan waar. Ze is vol van de belevenissen, hoe eenvoudig die ook waren. Alleen jammer dat er niemand op haar wacht. Er is niemand om dat wat ze gezien en gehoord heeft, mee te delen.

15

WANNEER YALDA, NA EEN PAAR DAGEN BIJ EEN vriendin te hebben gelogeerd, Annerieke thuis aantreft met een stapel folders op haar schoot en een dromerige blik in de ogen, schieten de vraagtekens bijna zichtbaar uit haar hoofd.
'Wat heb jij nou? Je zit te staren alsof je van de prins op het witte paard droomt.' Ze mikt haar weekendtas in een hoek en rukt de folders van de Blindenbond uit Anneriekes handen. 'O, en ik maar denken dat je liefdesbrieven zat te lezen of zoiets.' Ze blaast een keer van zich af en vult aan: 'Nee dus, gewoon reclamefolders.'
Annerieke ontwaakt.
'Niks geen reclamefolders. Eh, heb je het leuk gehad? De zomervakantie zit er bijna op, meid.'
Aanvankelijk zonder belangstelling bladert Yalda door de paperassen. 'Hm. Niks aan. Naar huis. Bah. Zeg, hoe kom je aan die papieren? Je bent al naar die stichting geweest? Ik zou toch meegaan. Nou ja, ik kan deze folders gebruiken voor een werkstuk. Ik kon maar geen onderwerp vinden dat origineel genoeg is om mijn lerares te verrassen. Denk je dat tante Bette me wil meenemen naar die blinde mevrouw voor wie ze werkt? Dan kan ik haar interviewen.'
Vast wel, meent Annerieke. 'En als je meer wilt weten over die bond, kom dan maar op. Ik ben daar met Daan Agricola op bezoek geweest. We hebben een geweldige rondleiding gehad, zomaar voor mij privé. Daan zit in het bestuur, moet je weten.'
Annerieke kleurt.
Het staat haar allerliefst en zet Yalda meteen aan het denken.
'Zo. De kleinzoon van de schilder dus. Daar ga jij mee op stap. Vertel op dan.'
Dat doet Annerieke, en wel zo enthousiast dat ze Yalda aansteekt.

'Had ik het maar geweten. Dan was ik meegegaan. Als dat tenminste gemogen had. Ik krijg de indruk dat je liever met die Daan alleen was. Of niet?'
Wijselijk gaat Annerieke daar niet op in. 'Zoek maar op internet. Begin bij Braille, de man die het systeem heeft uitgevonden. Waarom zou je niet zelf een bezoekje brengen in Ermelo? Ze hebben voor jongelui die spreekbeurten over het onderwerp willen houden, een soort uittrekstel dat je gratis kunt krijgen. Misschien lopen er wel afspraken met – ik noem maar iets – vrouwenverenigingen die een rondleiding krijgen, en kun jij meelopen. En misschien is het iets voor Peter om er een kijkje te nemen. Die jongen is immers zo sociaal betrokken.'

De naam Peter hoeft maar genoemd te worden, of Yalda vertoeft in hogere sferen.
'Ik kan zo goed met hem kletsen. Moet je weten dat ik hem zomaar van alles heb verteld, al bij de eerste ontmoeting. Over het zelf beschadigen en dat soort dingen. Dat komt doordat hij zelf zoveel heeft nagedacht over adoptie en de problemen die daaruit voortkomen. Hij boft. Thea als moeder, en Titus, met zijn buitenhuis en de rest, als pa. Moet je mij daartegenover stellen. Een afgewezen kat, een weggegooide boreling, dat ben ik.'
Tegenspreken heeft weinig zin, en dus beperkt Annerieke zich tot luisteren.
Yalda kiest weer eens voor de slachtofferrol. Uiteindelijk richt ze zich weer op de folders. 'Is dat wat jij gaat doen, boeken inspreken?'
'Eén op de vier gegadigden is geschikt. Het lijkt me wel leuk. Weet je dat iemand acht tot tien uur doet over het inspreken van één boek van gemiddelde dikte? Ik weet het niet, Yalda.'

Een paar dagen later belt Daan op. 'Hoe is het? Heb je nog zin om die stemproef te doen? Je hoeft er niet voor naar Ermelo. Ik heb een adres dat dichter bij huis is.'

Een reden om Daan Agricola nogmaals te ontmoeten. Een afspraak is snel gemaakt. Daan belooft te laten weten wanneer het zover is.
Yalda, die chagrijnig is vanwege het feit dat de laatste vakantiedag is aangebroken, smeekt of ze mee mag. 'Alsjeblieft, alsjeblieft?' Een reden heeft ze ook: het zou inspiratie bieden voor haar werkstuk.
'Jij informeert maar of je zelf geschikt bent voor het inspreken, bijvoorbeeld van kinderboeken. Je hebt geen stem voor een zwaar literair werk of een bijbelstudie. Bovendien zijn je dagen vanaf morgen gevuld met studie en nog eens studie. Dus nee, je mag niet mee.'
's Avonds komen Dick en Sandrien hun pleegdochter halen. Ze zijn vol van hun vakantiereis. De foto's gaan van hand tot hand.
Yalda heeft geen spijt dat ze niet is meegeweest.
'We zijn je erg dankbaar, Annerieke, voor de goede zorgen. Yalda is de laatste tijd opgeknapt. Maar misschien was dat vanzelf ook wel gebeurd, zonder de inmenging van tante Theodosia en jou. In ieder geval zullen we er streng op toezien dat ze haar afspraken met de hulpverleners nakomt.'
Yalda trekt een lelijk gezicht.
Annerieke denkt: moet dat nu zo, meteen in de aanval? Ze knipoogt naar Yalda, en de boodschap komt over.
Bij het afscheid kan het meisje haar ogen niet droog houden. Annerieke vergaat het al net zo. 'Sterkte! En als je wilt praten, je weet het, Yalda.'
Later, wanneer Annerieke naar bed wil gaan en even om de hoek van de logeerkamer kijkt, het voormalige vertrek van Yalda, ziet ze op het bureau een briefje liggen met ernaast één donkerrode roos. De inhoud van het briefje ontroert haar. Ze kan niet anders dan dankbaar zijn dat ze een jong mensenkind de helpende hand heeft mogen toesteken.

Begin september. Regen en wind teisteren het land. Nog een paar dagen, en dan zullen Thea en Titus in de echt worden verbonden.
Wanneer Daan Annerieke komt halen voor de stemproef, kijkt ze alvorens ze instapt, bezorgd naar de lucht.
Volgens Daan zit er weersverbetering in de lucht.
Tijdens de rit vertelt Annerieke over Yalda en haar werkstuk. 'Ze pluist alles wat ze verwerkt, keurig na in de papieren die ik haar te leen heb gegeven. Bovendien snort ze internet af in een poging nog meer gegevens te vinden. Ze gaat echt ver. Zo heeft ze ook een bezoekje gebracht aan een blinde dame bij wie een tante van mij een soort gezelschapsdame is. Ze heeft het brailleschrift zo goed bestudeerd dat ze zich de meeste tekens al eigen heeft gemaakt. Zo leuk dat ze enthousiast is. Dat was een paar maanden geleden wel anders.' Al te veel wil Annerieke niet kwijt over Yalda. Ze is immers een meisje dat bezig is de puberteit te ontgroeien? Nee, ze wil haar niet het stempel 'lastig' opdrukken.
Het wordt opnieuw een leerzame ochtend. Annerieke is nerveus wanneer het zover is dat ze de stemproef mag afleggen. Technici zullen het resultaat achteraf beoordelen.
Het doet Annerieke goed, gevoelig als ze is, dat de sfeer gemoedelijk is. Ze maakt onder meer kennis met een al wat oudere heer die een dik boekwerk aan het inspreken is.
Hij vertelt over de werkmethode en de manier waarop hij een en ander zelf aanpakt. Bij het afscheid zegt hij: 'Wel, misschien worden we collega's.'
De studio is klein, maar net zo ingericht als Annerieke in Ermelo heeft gezien. De wanden van de kamer zijn met geluidwerend materiaal bekleed. 'Volmaakte stilte, net als waar in het ziekenhuis gehoorproeven worden gedaan,' stelt ze vast. 'Toen mijn vader gehoorklachten kreeg, ben ik met hem mee geweest voor onderzoek, tot aan het kamertje waar het onderzoek plaatsvond.'

De voor te lezen tekst is eenvoudig. Het gaat immers uitsluitend om het testen van de stem.
'En nu is het afwachten. Jammer voor je dat het onbetaald werk is. Heb je nog geen passend werk gevonden?' informeert Daan wanneer ze samen met de mensen die hen ontvangen hebben, aan de koffie zitten.
'Helaas. Ik ben een mens zonder specifieke talenten. Thuis was het altijd: zie eerst je diploma maar te halen. En ja, toen werden mijn ouders achter elkaar dodelijk ziek. Het was logisch dat het thuiswonende kind – dat was ik – de zorg op zich nam. En nu... Iemand heeft ooit voorgesteld dat ik maar werk moet zoeken in het begeleiden van ernstig zieken. Maar ook daarvoor heb je tegenwoordig diploma's nodig. En eerlijk gezegd heb ik, wat dat betreft, mijn portie wel gehad.'
Later in de auto, op de terugweg, zegt Daan dat het jammer is dat Annerieke niet wat dichter bij de papierfabriek van zijn vader woont. 'Daar is op kantoor altijd wel een baantje te vinden.' Daan rijdt Annerieke niet rechtstreeks naar huis. Hij wil haar laten zien hoe hij woont.
Laan van Lieren, leest Annerieke op het straatnaambordje. En nog steeds weet ze niet of hij een partner heeft. Ze ziet het bankje waar ze heeft gezeten om het huis van Agricola te begluren. Daan remt af omdat een kat de straat oversteekt. 'Bijna was Joris verleden tijd geweest. Of misschien was het Kareltje. Dat zou een ramp zijn geweest voor hun vrouwtje, mevrouw Jongeneel.'
Op de inrit ligt een driewieler op z'n kop.
Annerieke houdt even haar adem in. Dat betekent niets anders dan dat er hier een kind thuishoort. En bij een kind hoort behalve een vader logischerwijs ook een moeder.
Daan stopt vlak voor het stuk speelgoed en springt uit de auto. 'Wegversperring,' zegt hij lachend.
Annerieke volgt zijn voorbeeld.
Achter elkaar lopen ze naar de voordeur.

Kindergekrijs is buiten al te horen, overstemd door geblaf van een hond.
'Jouw zoon? Of dochter?'
'Eén van beiden,' zegt Daan laconiek.
Hij haalt een sleutelbos uit zijn jaszak en laat Annerieke voor hem naar binnengaan.
Het kindergegil wordt zo mogelijk nog harder.
'En nu is het uit. Ik hoor pappa aankomen. Stil, zeg ik.'
Daan schudt zijn hoofd en zucht. 'Sorry, ik ben met de dagen in de war. Ik heb er niet aan gedacht dat de kinderen vandaag thuis zouden zijn.'
Annerieke knikt en denkt: gescheiden, kinderen de dupe. Dat hoor je toch zo vaak?
Een deur vliegt open, en een jonge vrouw roept: 'Zie je wel. Daar is pappa al.' Ze komt de ruime hal in en trekt de deur achter zich dicht.
Een jong hondje stuift de keuken uit, springt blaffend om Daan heen en doet wanhopige pogingen om in zijn armen te belanden.
Daan bukt zich, knuffelt het harige diertje en zegt over zijn schouder: 'Dit is nou Daisy. Is het geen schatje? Ik heb haar naar dat afspeelapparaat voor cd-roms genoemd. Kom hier, dierbaar mormeltje.'
Het hondje krijgt een knuffel en rent even later tevreden terug naar de etensbak in de keuken.
De ogen van de jonge vrouw glijden langs Annerieke heen, alsof ze in korte tijd een oordeel wil vormen. Ze legt een hand op een arm van Daan. 'Ze waren erg lastig vandaag. Volgens mij is dat – voor een groot deel – de schuld van je moeder. Ze is veel te zacht voor hen.' De jonge vrouw is nog net geen schoonheid, maar veel scheelt het niet. Ze heeft van nature roodblond loshangend haar dat bijna tot haar taille reikt, groenbruine ogen en een brede glimlach die een gaaf gebit laat zien.

'Dit is onze Cindy, mijn onmisbare hulp. Cindy, nu ik thuis ben, kun je rustig gaan. Als je morgenochtend maar om acht uur present bent.'
Cindy steekt een smal handje naar Annerieke uit. Een minuut later trekt ze de voordeur achter zich dicht.
Heel even is het stil geweest in de kamer, maar opeens wordt het lawaai met volle kracht hervat. Vanuit de keuken stemt Daisy ermee in.
Daans gezicht wordt ernstig. Hij veegt zijn door de regen vochtig geworden haar opzij en zegt langs zijn neus weg, alsof het een bijna vergeten kwestie geldt: 'Ik ben hun oom, en ik ben verantwoordelijk voor die twee, ongeveer sinds de geboorte van Kleintje – zo noemen we Birgit. En dat valt niet altijd mee, zoals je hoort. Het spijt me dat ik je niet rustig kan ontvangen.'
De deur vliegt voor de tweede keer open, en twee kindertjes tuimelen over elkaar de hal in. Ze omklemmen ieder een been van Daan en roepen van alles door elkaar heen.
Daan legt zijn handen tegen zijn oren. Hij maant hen tot stilte.
Wanneer de kinderen Annerieke ontdekken, lijken ze te vergeten waarom ze zo'n kabaal maken.
'Kom jij op ons passen of zo?' vraagt de oudste.
Daan zegt: 'Geef eens een handje. En je moet je naam noemen. Dat hoort zo. Je bent al vierenhalf, kerel. Ik heb je toch gezegd...'
Het jochie kijkt Annerieke wantrouwend aan en steekt een handje uit dat klef aanvoelt. 'Ik heet Andie Agricola. En jij?'
'U. Je zegt U tegen grote mensen.' Daan tilt Birgit alias Kleintje in zijn armen op. 'Kusje? Spelen?'
In de woonkamer is het een chaos. Overal waar je kijkt, slingert speelgoed. Het eerste wat Annerieke opvalt, is een schilderij aan de wand, zo op het oog identiek aan het hare.
Daan kijkt met wanhoop in zijn ogen om zich heen. 'De kin-

deren zijn voor het grootste deel van de tijd bij mijn ouders. Maar het wordt moeder vaak te veel. Vandaar dat we Cindy hebben.' Hij zet de twee op hun nummer en dwingt hen hun speelgoed op te ruimen, maar het is alsof ze dat woord niet kennen.
'Zal ik helpen?' biedt Annerieke aan. 'Daar, in die kist moeten, denk ik, de autootjes. Of heb ik het fout?'
De twee gieren van het lachen en rollebollen over elkaar heen. Mis, helemaal mis. Maar tot verbazing van Daan luisteren ze wel naar zijn gaste. In een mum van tijd is de klus geklaard.
'Ik zal koffiezetten. Dat ligt me beter dan kinderen hoeden,' zegt Daan met een doffe stem.
Er is dus geen mevrouw Agricola, zoals Annerieke in stilte vermoed had. Maar dat houdt niet in dat ze verder durft te fantaseren. Kinderen, twee nog wel... 'Hebben jullie ook dvd's?' informeert ze.
Jazeker, een kastje vol. De een eist kabouter Plop, de andere Dora. Annerieke houdt de uitgekozen schijfjes op haar rug. 'Welke hand? Jij mag het zeggen, Andie.'
Het wordt Dora. Even later is buiten het geluid van de televisie niets meer te horen.
Daan komt terug met een blad met koffie.
Annerieke vraagt zich af waarom hij tijdens hun uitstapje zo weinig over de kinderen verteld heeft. Ze ontdoet zich van haar klamme regenjas en loopt ermee naar de hal.
'Wat een gastheer ben ik.' Daan verontschuldigt zich wanneer Annerieke, na een kam door het haar te hebben gehaald, terugkomt in de kamer.
De kinderen zitten op kussens voor de televisie, die te hard staat.
Daarom wijst Daan haar op de eethoek aan de andere kant van de kamer. 'Koffie. Zo, en nu vraag jij je het een en ander af. Tja, die twee zijn dus niet van mij. En toch ook weer wel. Mijn broer en zijn vrouw hebben me vlak na de geboorte van Andie

gevraagd – het is ook op schrift gesteld – of ik, mocht er ooit iets met hen gebeuren, de zorg voor de twee op me wilde nemen. En wat zeg je dan tijdens een zorgeloos familiefeestje? Natuurlijk, ja. Toen mijn broer mijn schoonzus naar het ziekenhuis reed waar ze zou bevallen, hebben ze een dodelijk ongeluk gekregen. Het mag een wonder heten dat Kleintje het gered heeft. Het was allemaal zo afschuwelijk. Mijn ouders gingen er bijna aan onderdoor. Vandaar dat ik de verantwoordelijkheid op me genomen heb. Er zijn al vele Cindy's geweest.'

Annerieke drinkt haar koffie en kijkt over de rand van het kopje naar het markante gezicht van Daan, dat opeens niet meer het gelaat van een nog jonge man heeft. Ze ziet lijntjes, die daar door verdriet getekend zijn. 'Wat erg allemaal. Twee wezen. Hoe red je dat, zo alleen?' Ze kleurt. Het klinkt alsof ze solliciteert naar een baantje als... Ja, als wat? Kinderverzorgster? Vrouw des huizes?'

Ook Daan is aan koffie toe. Hij zet zijn lege kop behoedzaam terug op de schotel. 'Ik was destijds stevig verloofd. Ouderwets verloofd, met ringen en een intieme receptie. Tja, toen kwamen de kinderen in beeld. Ze stond erop dat ik mijn belofte ongedaan zou maken, maar dat kon ik niet. Nooit vergeet ik dat hulpeloze Kleintje. Andie was twee en bleef lang om zijn mammie roepen. Uiteindelijk was hij degene die mijn moeder uit haar depressie wist te trekken. Hij had haar nodig als brood. Niets helpt zo goed, voor welke kwaal dan ook, als nodig zijn. Het is lang goed gegaan, maar de gezondheid van mijn ouders – liever gezegd het niet-gezond zijn – begint hun parten te spelen. En wat moet ik?'

Annerieke knikt maar eens, als teken van medeleven. Het is toch onmogelijk dat een vrouw een man als Daan laat schieten omdat hij de zorg voor twee kinderen heeft.

Andie en Kleintje zitten tegen elkaar aan geleund, beiden verdiept in de avonturen van de tekenfilmfiguurtjes.

Daan loopt naar de keuken om de kopjes opnieuw te vullen. Deze keer brengt hij een schaaltje gevulde koeken mee.
'Tast toe. Ik zal...'
Zijn mobiel begint te jubelen.
Hij rukt het ding uit zijn borstzak, ziet wie het is en begint een gesprek zonder zich van zijn bezoek te verwijderen. 'Moeder, wat was er aan de hand? Ik dacht even dat ik me in de dag vergist had.'
Annerieke kijkt gegeneerd opzij, drinkt van haar koffie en breekt een koek in twee stukken.
'Wat zei de dokter? ... Geen dokter? Moeder toch, als je je zo ellendig voelt, moet je naar de dokter. ... Nee. ... Nee, dat kun je niet zelf bepalen. Je hebt al eens een waarschuwing gehad voor je hart. ... We willen je nog niet missen, moeder.'
Ja ja, dat heeft Annerieke ook gedacht. Mam, we kunnen je nog niet missen. Word alsjeblieft beter, en laten die uitslagen fout zijn.
Daan verbreekt de verbinding en smijt het mobieltje van zich af op tafel. 'Het moest een keer fout lopen. Ze kan het niet meer aan. Zeg, zoek jij niet een baantje? Ik heb er acuut een.' Hij lacht erbij alsof het een grapje is.
Annerieke kijkt van Daan naar de kinderen. Wat weet zij nu van kinderen? Ze heeft bijna nooit met jonge kinderen te maken gehad. Yalda kun je moeilijk tot de jonge kinderen rekenen. Ze speurt Daans gezicht af of er iets anders valt waar te nemen dan dat lachje waarmee zijn woorden gepaard gingen. Uiteindelijk probeert ze het ook met een soort humor. 'Tja, helaas heb ik geen diploma's op dat vlak. Wat jammer nou toch.'
'Ik zeker wel,' zucht Daan. 'Maak me niet wijs dat een aanstaand ouderpaar op cursus gaat voordat de baby in de wieg ligt. Misschien enkelen daar gelaten. Nee, je kunt met kinderen omgaan of je kunt het niet.'
Er valt een gespannen stilte.
'Vergeet het. Het was maar een ingeving. Je weet maar nooit.

Ik moet maar eens op internet grasduinen. Wie weet kan ik iemand vinden die wat ouder is dan Cindy. Die is zelf nog zo'n blaag. Ze kan de kinderen ook niet aan, weet je. Ze lopen over haar heen. Maar ja, Cindy heeft geld nodig voor haar studie.'

Annerieke worstelt met haar gedachten. Daan Agricola. Ze zou van hem kunnen gaan houden. De aantrekkingskracht is niet gering. Maar houden van behelst meer dan verliefdheid. En bovendien moet het van twee kanten komen. En dan kinderen van een ander grootbrengen. Dat kan niet anders dan op een gegeven moment problemen geven. Of ziet ze dat fout? Opeens denkt ze aan Yalda, aan Peter Daniëls, beiden adoptiekinderen, groot geworden bij pleegouders. Wat die hebben gepresteerd, zou zij toch ook kunnen? Maar dan moet het idee wel van Daan komen. Of toch niet?

Opeens hoort ze Daan zacht lachen. 'Ik heb er wel iets voor over om jouw gedachten te kunnen lezen. Laat me raden. Je probeert me te helpen denken. Nou, dat schiet niet op, want ik heb op dat punt alles al bedacht wat er te bedenken valt. Of je zou met me moeten trouwen. Een verstandshuwelijk. Ik heb er serieus over nagedacht.' Even zwijgt hij veelbetekenend. 'Ja, dat heb ik. Alleen was er tot voor kort geen geschikte kandidate.'

Anneriekes ogen worden donker. Daans woorden kwamen dicht bij wat er in haar hoofd omging. 'Zoiets is voor sommige mensen zo'n raar voorstel nog niet. Neem mij nou. Ik ben ongebonden. Niemand heeft me meer nodig. Ik kan niets anders dan wat rondlummelen in huis. Er zijn voor een ander, dat kan ik, maar daar houdt dan ook alles mee op.'

Daan legt zijn handen op die van Annerieke. 'Dat is veel. Dat is heel veel. En misschien heb je nog wel een stem als een klok die geschikt is voor het inspreken... Grapje. Wat moet ik opmaken uit je woorden? Een geintje, of een poging...' Hij durft zijn zin niet af te maken.

Annerieke krimpt in elkaar, staart naar een vlek op de notenhouten tafel, een niet weg te poetsen kring. Geen huisvrouw die zich eraan stoort.
Daan legt een vinger onder haar kin. 'Toe, kijk niet zo van me weg. Kijk me eens aan, meisje. Je brengt me wel op een idee. Kunnen we geen voorlopige verbintenis aangaan? Op proef? Dan kun je altijd terug. Ik zal je met geen vinger aanraken. Voor mij hoef je nooit bang te zijn. Niet dat ik geen kerel van vlees en bloed zou zijn, maar ik ken mijn grenzen. Veel te veel narigheid op dat gebied gezien bij vrienden en werknemers. Annerieke?'
Dora zwijgt, en met haar ook de andere stemmetjes van de dvd. Protest van de kinderen. 'Nog een keer. Of die andere.'
'Nee. Dora nog een keer.'
'Pappa.'
Daan grijnst. 'Sinds Andie naar de basisschool gaat – hij is ruim vier –, ben ik pappa. Dat was even wennen. Maar waarschijnlijk heeft hij behoefte aan een pappa. Net als de andere kinderen. Nu nog een mamma. Zou je mamma zijn als een baan kunnen zien? Of ben ik nu al te vrij, te brutaal, Annerieke?'
Annerieke staart naar het schilderij, alsof ze uit de afbeelding van het wandelpad wijsheid zou kunnen putten. Ze schudt haar hoofd. 'Je bent erg direct. Maar dat komt vast door je onmogelijke situatie. Wat als de grote liefde zich aandient? Dat kan toch altijd? Is er dan een weg terug? Ik denk aan de kinderen. Hoeveel kan een kind verdragen? De dood van hun ouders hebben ze niet bewust beleefd. Andie heeft misschien nog vaag een herinnering. Maar sinds dat ongeval zijn ze heen en weer gesleept. Kinderen hebben, vooral als ze nog zo jong zijn, een vaste omgeving nodig.'
Daan springt op om op een televisiekanaal over te schakelen. 'Er is nu een tekenfilm. Niet zeuren jullie twee.'
Tussen de twee volwassenen valt een stilte.

Annerieke haalt hulpeloos haar schouders op. 'Ik weet het echt niet, Daan. Ik heb geen plannen voor mijn leven. Maar of het nu de bedoeling is dat ik moedertje ga spelen. Er zit zo veel aan vast. Wat als jij je aan mij gaat ergeren? Waarom neem je niet een huishoudster.'
Daan maakt een ontevreden geluid. 'Ik zei je al dat we vele Cindy's versleten hebben. En het zou geen punt – ik bedoel nog geen punt - zijn, als mijn moeder jonger en sterker was dan nu het geval is. Wil je er niet over nadenken? Ik mag je erg graag. Dat moet je gemerkt hebben. Vanaf het eerste moment klikte het tussen ons. Ontken dat maar eens.'
Annerieke gaat staan en kijkt neer op de kruin van het gebogen hoofd van Daan Agricola. Ze had het zo anders gewenst. En ja, ze zou zeker op avances zijn ingegaan en gehoopt hebben dat er in de toekomst iets tussen hen zou groeien. Maar dit is zo absurd, zo onverwacht en ook zo berekenend.
Daan kijkt op.
Ze ziet de wanhoop in zijn ogen. 'Ik sta met de rug tegen de muur.' Hij grijpt een hand van Annerieke en drukt hem tegen een wang. 'Ik mag je echt erg graag. Wat niet is, kan nog komen. Toch?'
Ze knikt. 'Ik wil naar huis. Om na te denken. Dat begrijp je toch wel? Ik moet nadenken. Zo'n grote stap... Als je in nood komt te zitten, wil ik best inspringen.'
Daan gaat staan. Hij knikt en vraagt zich af wat hem ertoe gebracht heeft het zo ver te laten komen. Hij is te voorbarig geweest. Misschien heeft hij alles bedorven, sukkel die hij is. 'Ik breng je thuis. Probleempje: de kinderen moeten wel mee. Ik kan hen moeilijk alleen laten. Even de jassen halen.'
Jassen aan. En laarsjes, want de schoenen zijn nergens te vinden. Vanuit de keuken komt het geluid van een zoemer.
'Dat betekent dat het eten dat Cindy in de oven heeft gezet, klaar is. Doe jij de jasjes dicht, alsjeblieft? Dan bekommer ik me even om de knoppen van het fornuis.'

Andie zegt dat hij zijn jas zelf dicht kan doen. Hij stelt zich wantrouwend tegenover Annerieke op.
Daar kan ze zich wel iets bij voorstellen.
'Hoe heet jij ook weer?' vraagt hij, zijn kleine hoofd schuin houdend.
'Zeg maar Annerieke tegen me.' Ze neemt de peuters vast mee naar buiten. Het regent niet meer, maar de lucht is kil en vochtig.
'Ik kan zelf in mijn zitje, hoor. Zij niet.'
Annerieke peutert tevergeefs aan de gordel van het stoeltje van Kleintje.
Daan duwt haar zacht opzij en klikt de sluiting vast. Dicht bij elkaar staan ze nu. Daan grijnst jongensachtig. 'Dit soort dingen heb je zo geleerd. Heb ik ook moeten ontdekken. Kom, stap in, meisje.'
Ze rijden weg.
Vanuit de keuken klinkt het geluid van een eenzame Daisy.

Was Thea er maar, speelt de rest van de dag en avond door Anneriekes hoofd. Thea zou wel weten wat ze het beste kon doen. Yalda zou roepen: 'Ben je zo wanhopig dat je de eerste de beste kerel die met je aanpapt, als man accepteert?' Thea, Yalda... Ze is zelf degene die de beslissingen moet nemen. Het wordt de hoogste tijd dat ze daar een begin mee maakt.

16

DE DEPRESSIE IS VOORBIJ. HET BELOOFT EEN AARdige nazomer te worden.
Thea en Titus boffen. Op hun trouwdag straalt de zon aan een strakblauwe hemel. Hoewel beiden dagen van tevoren geroepen hebben dat het niet uitmaakt wat het weer gaat doen, zijn ze toch maar wat blij met de goede weerberichten.
Yalda wil per se met Annerieke meerijden, liever dan met haar ouders.
Uiteindelijk komt Peter Daniëls voorrijden. Sinds kort is hij de gelukkige bezitter van een eigen wagen. 'Het is wat. Wie maakt zoiets nou mee: de dag dat je vader en moeder gaan trouwen.'
Yalda roept dat zoiets tegenwoordig vaker voorkomt. 'Dan zijn de kinderen bruidsmeisjes en bruidsjonkers. Was dat niet iets voor jou geweest?'
Annerieke heeft achter in de wagen plaatsgenomen. Ze luistert geamuseerd naar het gekwebbel van de jongelui. Vergeleken met hen voelt ze zich oud. Maar beslist niet veel wijzer, helaas. De bruiloft eist haar volledige aandacht op. Voor even zijn Daan en zijn voorstel buiten beeld.
Het wordt een indrukwekkende huwelijksdag, die op alle fronten geslaagd mag heten. De gasten krijgen na afloop een cadeautje. Het boekje van Titus en zijn vrienden is op tijd verschenen. *De vergeten paden*, waarin vooral aandacht wordt besteed aan een nieuwe techniek: laserfotografie.
Wanneer Annerieke de sleutel in het slot van haar voordeur steekt, is de nieuwe dag al begonnen. Ze denkt aan de afscheidswoorden van Thea: 'Zodra we terug zijn van onze reis, moeten we eens praten, Annerieke. Ik kan het gevoel niet van me afzetten dat jij met iets zit.' Ze moest eens weten.
Die nacht slaapt Annerieke slecht. Pas tegen de ochtend zakt

ze weg, waarna ze niet veel later ruw gewekt wordt door de telefoon.
'Ja, met Cindy. Ik heb toch het goede nummer gedraaid? Annerieke Atema? Prima. Ik bel in opdracht van Daan Agricola. Hij heeft een aanrijding gehad. Gelukkig niet ernstig. Maar hij is wel uitgeschakeld. En ik kan niet langer komen helpen, echt niet. Ik zit met tentamens. Daan dacht dat jij wel tijd zou hebben om hem met de kinderen te helpen. Er is ook iets met zijn moeder aan de hand. Hoe laat kun je hier zijn?'
Annerieke hapt naar adem en schuift rechter op in bed. 'Eh, ik ben nog maar net wakker, Cindy. Over een uurtje kan ik bij jullie zijn.'
Cindy moppert iets onverstaanbaars.
Annerieke verbreekt de verbinding. Een aanrijding? Wat moet ze zich daarbij voorstellen? Zou het ernstig zijn? Of wordt ze gemanipuleerd? Wanneer ze op het punt staat het huis te verlaten, rinkelt de telefoon weer. Bette heeft zin om na te praten over de feestelijke dag. Ze is zo dankbaar dat haar kinderen zich op de receptie van hun tante Theodosia hebben laten zien.
Annerieke moet haar onderbreken. 'Sorry, tante Bette. Ik heb haast. Want zie je, ik heb een soort baantje. Niet een echte baan. Meer een soort hulpverlening. Een gezin waar geen oppas voor de kinderen is.'
Bette is niet te stoppen, ze wil het naadje van de kous weten, zoals gewoonlijk.
'Later, echt. Ik bel je zo gauw mogelijk.'
Annerieke heeft haar auto nog niet voor het huis geparkeerd, of Cindy komt naar buiten. Jas aan, rugzak in één hand. Haast, haast, haast beeldt ze uit. 'Ik heb de voordeur op een kier laten staan. Wat een toestand. Ik ben net nog achter de hond aan geweest. Die is ervandoor. Achter een kat aan. Nou ja, die komt wel weer thuis.' Ze wuift, rukt haar fiets van de standaard en racet weg.

'Ook gedag,' mompelt Annerieke.
In de hal treft ze Kleintje aan, die met een vaatdoek naar het toilet kuiert, met duidelijke bedoelingen.
'Schoonmaken,' straalt ze.
Annerieke plukt haar van de grond. 'Dat hoef jij niet te doen, Kleintje. Kom, dan gaan we naar de kamer. Is pappa daar?'
'Pappa...'
'Hier ben ik.'
Ze vindt Daan in de kamer, liggend op de bank, één voet in het gips. 'Wat is er gebeurd?'
Daan is bleek, ongeschoren en slordig gekleed, in broek en shirt. 'Gisteren op het fabrieksterrein. Daar reed een knaap die door de personeelschef ontslagen was, op een heftruck die hij bij de oudpapierafdeling gepikt had. Hij reed recht op mij in. Ik kon hem amper ontwijken. Enfin, er is niets gebeurd behalve dat mijn wagen flinke deuken heeft, en ja, mijn voet kwam bekneld te zitten. Daar ben ik mooi klaar mee. Bovendien moet mijn moeder naar het ziekenhuis voor een hartonderzoek. Neem me niet kwalijk, Annerieke, dat ik je voor het blok heb gezet.'
Kleintje worstelt zich los. Zodra ze op haar voetjes staat, probeert ze de kamerdeur open te krijgen. Helaas zit het handvat zo gemonteerd dat dat niet lukt.
'Schoonmaken,' gilt ze.
'Ik heb de tijd. Goed dat het gisteren niet gebeurd is. Het was de trouwdag van mijn tante Thea. Kan ik iets voor je doen? Heb je al ontbeten?'
Dat blijkt niet het geval.
In de keuken is het zoeken, maar het moeilijkste is Kleintje in de gaten te houden. 'Straks mag je schoonmaken. Dan zetten we een stoel voor de gootsteen, en mag je soppen,' belooft Annerieke terwijl ze een blad met ontbijt voor Daan klaarmaakt.
'Soppen,' zegt het kind tevreden, en het sukkelt met haar duim in haar mond achter Annerieke aan.

Met het blad op zijn knieën kijkt Daan Annerieke aan. 'Ga alsjeblieft zitten, zodat we kunnen praten. Ik voel me schuldig, Annerieke. En ik wil best een andere oplossing zoeken. Help me daar maar mee. Je denkt toch niet dat dit een truc is om jou over te halen?' Hij drinkt van zijn koffie. Het is duidelijk dat hij daaraan toe was.
'Ik denk niets. Echt, dit soort dingen doen vrienden voor elkaar, Daan. Hoelang denk je dat die kwestie met je voet gaat duren? En... hoe moet het met je werk?'
'Vader springt voor me in. Jammer dat mijn ongeluk tegelijk komt met de toestand van moeder. Het is te hopen dat er niets ernstigs aan de hand is.'
Kleintje kruipt tegen Daan aan en plukt met haar kleine vingertjes aan de boterham die op een bordje ligt. 'Ikke kaas.'
Daan laat zich gewillig de kaas letterlijk van zijn brood eten.
'Het zijn echt leuke kinderen, Annerieke. Alleen wat druk, maar dat zal er wel bij horen. Cindy heeft de kleine jongen naar school gebracht. Hij kan overblijven. Maar om kwart over drie moet hij gehaald worden.'
Hij kijkt zo komisch schuldig dat Annerieke begint te lachen. Ze voelt zich opeens meer ontspannen.
De mobiele telefoon van Daan pringelt. Hij tovert het ding onder een hoofdkussen vandaan. 'Ja.'
Zaken, begrijpt Annerieke. Ze neemt Kleintje mee naar de keuken, zet haar op een stoel voor het aanrecht en knoopt een handdoek om het kleine lijfje.
'Niet nat worden, hè?' zegt het hummeltje, en trouwhartig kijkt ze naar Annerieke op.
Water in de bak plus plastic lepeltjes en bordjes.
'Sop?'
'Ook sop. Jij je zin.'
Aanrecht en kind zijn in mum van tijd kleddernat. En wanneer Kleintje later in de kamer naast Daan op een stoeltje zit met een boekje op haar knietjes, vraagt Annerieke zich af hoe

een echte moeder zou omgaan met de verlangens van haar kind.
Daan schuift zijn mobiel, elektronische zakagenda en een stapel paperassen van zich af. Hij kijkt somber van Annerieke naar Kleintje. 'Zakendoen vanaf de bank is niet wat je noemt plezierig. Ik kan veel delegeren, maar er blijven toch van die dingen die je zelf moet doen. Zo leer je dankbaar te zijn voor je gezondheid. Je vindt het zo logisch, niet, dat je maar doorstoomt. Alsof je er recht op hebt.'
Annerieke geeft hem een kopje koffie. 'Dat wil nog weleens helpen,' beweert ze. Terwijl ze om zich heen kijkt, schiet haar iets te binnen. 'Waar zit Daisy? Ik meende te horen dat Cindy in het voorbijgaan riep dat ze was weggelopen.'
Daan fronst zijn wenkbrauwen. 'Er was nogal tumult, daarstraks. Zou je zo lief willen zijn...'
'Natuurlijk.' Hij hoeft zijn zin niet eens af te maken. 'Ik ga wel op zoek. Cindy zei iets van een kat.' Haastig drinkt Annerieke haar kopje leeg.
'Ikke mee,' zegt Kleintje gedecideerd.
'Hier blijven,' bromt Daan.
Daarop zet het kind het op een brullen. 'Wil naar oma? Oma lief?'
Annerieke trekt haar jasje aan en zegt dat Kleintje mee mag zodra ze terug is. 'Dan gaan we wandelen.'
Een lachje breekt door de tranen heen. 'Wakkelen. Na de eendjes?' Ze kruipt over Daans benen naar de rugleuning van de bank om Annerieke na te kunnen kijken wanneer deze over het tuinpad naar de laan loopt.
Nergens een hond te bekennen. Annerieke roept Daisy's naam, maar het dier kent haar stem niet. Onzeker loopt Annerieke naar de overkant, waar een voetpad is, langs het bankje waar ze destijds heeft zitten gluren naar het huis van Daan Agricola. Dan ziet ze een figuurtje achter een rollator een tuin uit schuifelen. Dat kan niet missen: de vrouw van de katjes. Ze

herinnert zich opeens de naam die Daan genoemd heeft: Jongeneel. En ook nu huppelt er een poes in haar kielzog. Annerieke zet het op een lopen en stopt pas wanneer ze vlak achter de oude dame is. 'Hallo, mevrouw, hebt u het hondje Daisy ook gezien? Ik meen te weten dat ze ruzie had met een kat. Misschien die van u?'
Mevrouw Jongeneel kijkt verwonderd naar de persoon die bij de stem achter haar hoort. 'U ken ik. En, hebt u het gedaan? Een stemtest, bedoel ik?'
Annerieke knikt en bewondert het geheugen van de vrouw. 'Maar nu ben ik op zoek naar Daisy, het hondje van meneer Agricola.'
Poes Kareltje loopt rondjes om hen heen, de staart fier omhoog.
Annerieke bukt zich om hem te strelen, maar wordt beloond met een flinke tik.
'Die hond. Jawel, daarnet renden ze elkaar nog achterna, hier ergens, tussen de bomen. Dat beest jaagt de katten de bomen in, en dan durven ze er niet meer uit. Dat is me wat. Ik zou het niet weten. Kareltje loopt hier rond, en Joris ligt in de keuken op een stoel. Ik moet naar het postkantoor. Onderweg kijk ik wel wat rond.'
Annerieke kijkt haar na, de vrouw met haar kat. Het is duidelijk dat Daisy op sjouw is. Jammer, maar ze kan niets anders doen dan afwachten totdat het dier opduikt. Wanneer ze de hal binnenloopt, staat Kleintje al te wachten, haar jasje in de armen geklemd. 'Uit?'
'Kijk maar eens rond. Misschien duikt Daisy ergens op,' stelt Daan voor. Hij kijkt gehinderd naar zijn voet, die hem verhindert zelf op zoek te gaan.
Met het handje van Kleintje in de hare wandelt Annerieke even later over het wandelpad. 'Eendjes, toch?'
Eendjes voeren. Annerieke zou niet weten wanneer ze dat voor het laatst heeft gedaan.

Kleintje houdt een mandje met wat stukjes brood stijf vast. Ze kwebbelt honderduit.
Annerieke zegt op goed geluk ja en nee.
Bij een ondiepe vijver vinden ze Daisy, rennend achter twee grote honden van onbestemd ras. Alles drie zijn ze kleddernat.
'Daisy,' roept Annerieke.
Kleintje trappelt met haar voeten van plezier: kijk die honden toch eens rennen. Ze zou er zo achteraan willen. 'Daizzzz,' jubelt ze. Een groepje eenden dat verwachtingsvol naar hen toe is gewaggeld, wordt door de honden ruw uit elkaar gejaagd.
Er komt een man aangelopen die een keer op zijn vingers fluit, waarop de twee vreemde honden onmiddellijk hun spel staken en naar hem toe rennen.
Bewonderend slaat Annerieke het tafereel gade. Wat een discipline.
Daisy blijft ontredderd staan wanneer ze ziet dat haar vrienden worden aangelijnd en afgevoerd. Ze houdt haar grappige kopje schuin, alsof ze overweegt zich weer bij hen te voegen.
Maar Annerieke is haar te vlug af. 'Hier jij, boefje.' Ze neemt terecht aan dat Daisy niet zo getraind is als de grote honden, en echt niet zonder meer achter haar aan naar huis zal wandelen.
'Riem,' zegt Kleintje.
Jawel, thuis zal er vast wel ergens een hangen. 'Dan de mijne maar.' Ze peutert haar broekriem uit de lussen en met veel moeite weet ze daar de halsband van de kleine hond aan vast te maken.
Kleintje schatert.
De eenden komen, nu de rust is weergekeerd, snaterend naar hen toe gewaggeld. Gretig happen en schrokken ze van het brood.
'Op,' roept Kleintje, en ze houdt het mandje op z'n kop en gooit het vervolgens tussen de eenden.
Weg zijn ze weer, hun ongenoegen luidkeels kenbaar makend.

'Nu gaan we terug naar huis, Kleintje.'
Kleintje wil de geïmproviseerde riem vasthouden, maar Annerieke voorziet nieuwe vluchtpogingen. Ze moet zelf gebukt lopen omdat het voorwerp eigenlijk te kort is en haar dwingt vlak bij Daisy te blijven.
Zo ziet Daan hen aankomen. Hij grijnst van oor tot oor.
Gelijk met Annerieke en Kleintje komt een auto aangereden, die op straat voor de oprit stopt.
Kleintje begint te jubelen. 'Opa, oma.' Ze trappelt met haar voetjes ten teken dat ze erg blij is.
Een bejaard echtpaar stapt uit de wagen. 'U bent de nieuwe hulp?' informeert de vrouw van wie Annerieke terecht denkt dat het Daans moeder is. Ze steekt een slanke hand uit, waarvan de druk onverwacht stevig is.
'Zoiets. Ik ben een kennis die te hulp is geschoten.'
Daisy rukt en trekt aan de geïmproviseerde riem.
Annerieke kan hem bijna niet houden.
Daans vader is het oudere evenbeeld van zijn zoon. 'We komen regelrecht uit het ziekenhuis, waar mijn vrouw wat onderzoeken heeft moeten ondergaan. Niet naar huis om te rusten, nee, moeders moest en zou door naar zoonlief.'
Kleintje wordt op opa's schouders getild.
In optocht gaan ze naar binnen.
In plaats van zijn ouders te begroeten roept Daan mopperend dat het gekkenwerk is dat ze komen. 'Dat is toch veel te vermoeiend, moeder.'
Annerieke besluit een kan koffie te zetten, maar eerst moet ze de rommel opruimen die Kleintje gemaakt heeft.
Ze hoort de stemmen in de kamer, en die van Kleintje erbovenuit.
Wanneer ze het blad met de koffie en kopjes binnenbrengt, zijn vader en zoon verdiept in papieren.
Oma speelt met het kind, dat ze Birgit noemt.
'Kom erbij zitten en vertelt eens iets over jezelf,' stelt mevrouw

Agricola voor. Kent ze Daan al lang? 'Ik dacht de meeste van zijn kennissen weleens ontmoet te hebben.'
Annerieke besluit over haar schilderij te beginnen.
'Laat me raden. Een landschap met een geheimzinnig paadje? Iedereen in mijn mans familie blijkt een schilderij met die voorstelling te hebben. Hoe kom jij eraan?'
Het praat gemakkelijk met de oude dame. Maar het is zelfs voor een leek te merken dat het haar moeite kost haar klachten te verbergen.
'Moeder, je moet naar huis en rusten. Ik weet zeker dat je die boodschap hebt meegekregen.' Daan is duidelijk ongerust.
Ook is helder dat de ouders een goede relatie met hun zoon hebben, iets waar Annerieke hen om benijdt.
'Ik zou Birgit graag meenemen,' aarzelt mevrouw Agricola bij het vertrek.
'Geen sprake van,' vindt haar zoon.
'Kan ik dan echt niets voor je doen?' Ze kijkt met iets van wanhoop naar Annerieke.
'Ik ben er nu toch. Ik heb op het moment niets omhanden, ook al heb ik geen ervaring met jonge kinderen.'
Daisy keft en springt tegen Annerieke op alsof ze het tegendeel wil beweren.
Annerieke krijgt een hand van mevrouw Agricola, die zegt: 'Ach kind, laat je hart maar spreken. Ervaring is ook niet alles.'
Het bezoek heeft al met al nog geen halfuur geduurd.
Maar Daan blijft mopperen. 'Je begrijpt die mensen niet. Omrijden om zelf te kunnen zien dat ik het red. Enfin, ik kan de zaken met een gerust hart aan pa overlaten. Ik heb de indruk dat hij maar wat graag weer op zijn oude stoel zit. Vader vertelde dat de jongeman die het ongeluk heeft veroorzaakt, een psychisch probleem heeft. Enfin, we hebben een prima personeelschef. Je kunt je in een bedrijf als het onze niet zelf om alles bekommeren. Delegeren. Kom eens naast me zitten, Annerieke. Laten we eens praten over onze toekomst, onze even-

tuele toekomst.' Hij steekt uitnodigend een hand naar Annerieke uit.
Wat onwillig geeft ze gehoor aan zijn verzoek.
'Ik weet het niet, Daan. Toekomst, verstandshuwelijk, een mens moet wel erg wanhopig zijn om zoiets te willen. Dat neemt niet weg dat ik best een tijdje op de kinderen wil passen, als jij je verwachtingen niet te hoog stelt. Is Cindy opeens geheel uit beeld?'
Daan houdt haar hand stevig vast en maakt onbewust met zijn duim kleine, strelende bewegingen. 'Ik vrees van wel. Vooral nu ze ontdekt heeft dat jij er bent. Zou je het echt zo'n ramp vinden het met mij te proberen? We mogen elkaar. Ja toch? We zijn een dag lang in elkaars gezelschap geweest.'
Nu moet Annerieke voluit lachen. 'Dat is de test. Een dag lang samen optrekken en ziedaar, de uitslag is bekend.'
Daan lacht niet mee. 'Ik ben geen twintig meer. Jij ook niet, meen ik te weten. Waar kies je voor? Alleen door het leven gaan of een sprong wagen? Ik ben er allang achter dat een levenspartner niet uit de lucht komt vallen. En erop uitgaan met de bedoeling die persoon te ontmoeten is niets voor mij. Nee, ik pak dat anders aan. Ik zoek simpelweg een vrouw die een schilderij van mijn opa aan de wand heeft.'
'Malle.'
Daan heeft nog meer voorstellen. 'Kom hier. Dan kus ik je. Als test. Misschien smaakt het naar meer.'
Gelukkig voor Annerieke eist Kleintje haar aandacht op.
Ze trekt haar hand terug en haast zich naar het meisje, dat zich klem heeft gewerkt onder de zitting van een laag stoeltje waarop Daisy zich heeft teruggetrokken.
Vanaf de bank merkt Daan op: 'De kinderen hebben structuur nodig. Je hebt moeder gezien: een schat van een vrouw, maar superkwetsbaar. Afwachten wat de uitslagen van de onderzoeken zijn. Zo is het toch? Annerieke, je zou hier een taak hebben.'

Annerieke trekt de onwillige Daisy van de stoel, en onder protest van het kind kantelt ze het meubelstuk. 'Au au.'
Daan vraagt zich hardop af waarom een kind niet braaf aan tafel gaat zitten met een puzzel of een boek.
Annerieke zegt geagiteerd: 'Omdat ze tweeëenhalf is, en geen zes. Daarom. Ze is een peuter.'
Kleintje wrijft over haar been en geeft te kennen dat ze bij Annerieke op schoot wil. 'Met boekje.'
Daan slaat 'moeder en kind' gade en komt meer en meer tot de overtuiging dat Annerieke Atema niet bij toeval zijn weg heeft gekruist. Sommige dingen gebeuren, vindt hij, omdat ze eenvoudig zo moeten zijn.

17

NA EEN PAAR DAGEN GEMOEDERD TE HEBBEN IS Annerieke ingewerkt. Zo noemt ze het zelf. Het is een baan, niets meer en niets minder. Even leek het erop dat Cindy zich één dag in de week beschikbaar wilde stellen, maar al snel kwam ze daarop terug. Haar studie eiste al haar tijd op.
Twee keer in de week komt er een hulp, die als een razende door het huis vliegt met de stofzuiger en emmers sop.
Dagelijks wordt Daan door zijn ouders gebeld. Om de uitslagen van de hartonderzoeken te vertellen en zakelijke punten door te spreken. Mevrouw Agricola krijgt medicatie en de opdracht haar leven aan te passen. Dat betekent geen bemoeienis met het 'gezin' van Daan.
Dick en Sandrien kijken neer op de baan van Annerieke. Kindermeisje, meer is het toch niet? Kon ze echt niets anders krijgen?
Tante Bette vindt het een prima opstapje om te beginnen.
Schoonzus Esther heeft wel iets anders om aan te denken: de baby kan zich iedere dag melden. Esther ziet uit naar de bevalling. Ze voelt zich niet meer thuis in haar eigen lichaam.
Wanneer de kinderen in bed liggen, rijdt Annerieke naar haar eigen huis, ook al heeft Daan haar kamers aangeboden. Spontaan riep Annerieke na dat aanbod uit: 'Dan is het net alsof we iets hebben. De mensen zullen dat zeker denken.'
'Nou en?' Daan heeft de moed nog niet opgegeven Annerieke uiteindelijk voor zich te winnen.
Wanneer Annerieke, na een vermoeiende dag thuisgekomen, een brief van de CBB vindt, leest ze dat haar stem geschikt is bevonden voor het inspreken. 'Yes,' roept ze blij. Haar eerste gedachte is: Daan bellen om het te vertellen. 'Je lijkt wel niet wijs, Annerieke Atema. Dat kan morgen ook nog wel.' Ze zet haar gevoelens in de wacht en trapt regelmatig op de rem. Het

is te gemakkelijk ja te zeggen tegen Daan. De weg van de minste weerstand.
Diezelfde avond komt Wieger vertellen dat Esther bevallen is van een dochter. 'Ik wilde het je persoonlijk komen vertellen. Geweldig is het. Ze ligt in het ziekenhuis. Er waren complicaties, die achteraf vanzelf opgelost werden. Nu is haar familie daar. Het werd me te vol, en ik wilde alles delen met iemand die eigen is. Met jou dus.'
Annerieke is aangedaan. Die woorden van haar broer doen haar hart opspringen. Ze omhelst haar broer. 'Gefeliciteerd, Wieger. Pappa, nu ben je pappa. Geweldig, jongen. Jammer dat onze ouders het niet meegemaakt hebben. Hoe gaat ze heten?'
Daan bekent dat ze daar nog steeds over twisten. 'Maar ik denk dat ik Esther de keus laat. Ze heeft het zo zwaar gehad. Ik had haar naar jou willen vernoemen. Jouw namen zijn al zo lang in de familie. Nou ja, misschien bij een volgend kindje.'
Ze lachen er samen om.
'Morgen komt ze thuis. Met het kind. En dan moet ik het aangeven. Je komt toch, Annerieke? Esthers moeder blijft een paar dagen. Het is jammer dat jij dat baantje hebt. Anders zou jij mooi de helpende hand kunnen bieden.'
Zelfs voor haar broer en schoonzus kan Annerieke het gezin van Daan niet in de steek laten. 'Ik kom morgen op de koffie, en dan breng ik een klein meisje mee. Je bent oppas of je bent het niet.'

Daan vindt het best dat Annerieke Kleintje in haar eigen auto wil vervoeren, maar dan moet ze wel het zitje erin bevestigen. Samen met Kleintje naar het winkelcentrum, het park of, zoals vandaag, op kraambezoek bij Esther en Wieger.
Ja, er is een naam. De roepnaam is Sien. Waar ze die vandaan hebben? Toch niet uit de boekjes van *Ot en Sien*? Nee, de naam komt in de familie van Esther veel voor. Vandaar.

Kleintje is enthousiast bij het zien van een baby. Het liefst nam ze de hummel mee naar huis.
'Je hebt toch wel een pop?' vaagt Esther.
Kleintje schudt haar kopje, wat Annerieke doet uitroepen dat ze een jokkebrok is.
'Met een oma als de moeder van Daan zal ze geen poppen hebben.'
Esther informeert naar Daan Agricola, de kleinzoon van de schilder. Hoe is hun relatie?
Annerieke wordt gered door de bel. Nog meer kraambezoek. Dat is een mooi excuus om te vertrekken. Ze moet zogenaamd plaatsmaken voor de nieuwkomers. Ze rijdt met Kleintje naar het winkelcentrum en zoekt een babywinkel op. Daar koopt ze minikleertjes voor prematuurtjes, die de poppen van Kleintje zeker zullen passen. Ze vergeet zelfs de luiertjes niet. Een poppenwagen? Die heeft ze in Daans huis niet ontdekt. Ach, waarom niet? Kleintje krijgt een schattige poppenwagen, gemaakt van riet. Het was een goede gok: het kind is uren zoet met haar poppenkinderen, de kleertjes en het wagentje.
Het is te merken dat het herfst is: de bladeren vallen in snel tempo van de bomen. Regen en wind maken het buiten niet prettiger.
Tot Anneriekes vreugde gaat Daan weer aan het werk. Hij wordt dagelijks gehaald en gebracht door een chauffeur van de firma. Hij mag zich, zij het voorzichtig, op krukken voortbewegen.
Wanneer Annerieke op een ochtend bezig is met lichte huishoudelijke bezigheden, schalt het geluid van de voordeurbel lang en dringend door het huis.
Kleintje kijkt verstoord op.
Daisy begint te blaffen.
Annerieke haast zich naar de voordeur om te kijken wie er op de stoep staat.
Het is schrikken wanneer het Yalda blijkt te zijn. Het meisje

vliegt Annerieke om de nek, stoot onverstaanbare klanken uit en barst vervolgens in tranen uit.
Annerieke peutert haar jack los en veegt met een hand over de betraande wangen. 'Lieverd toch, wat is er aan de hand?' Dodelijk ongerust is ze.
Kleintje kijkt nieuwsgierig om een hoekje van de kamerdeur. Daisy wringt haar kopje langs het kinderlijfje om niets te missen van het lawaai in de hal.
Het duurt minuten voordat Annerieke iets verstaanbaars te horen krijgt. Het gaat voornamelijk over Peter Daniëls.
'Ik heb hem gezien. Hij stond te vrijen met een ouder meisje van minstens een eind in de twintig.'
Een ouder meisje. Zou ze mij ook zo zien? Annerieke trekt Yalda mee naar de kamer en wijst op Kleintje. 'Let een beetje op haar, wil je? Toe, ga zitten. Dan haal ik een glas water voor je.'
Maar Yalda wil niet gaan zitten. Ze loopt met schokkende schouders achter Annerieke aan.
Kleintje waggelt op haar beurt in Yalda's kielzog. 'Jij ziek?'
Yalda ploft, uitgeput, op een stoel aan de keukentafel neer. 'De ellendeling. Ik dacht dat we samen iets hadden. We konden zo goed praten. En op de bruiloft van Thea en Titus was hij de hele dag in mijn buurt. Hij vond dat ik er zo leuk uitzag. De leugenaar.'
Annerieke streelt over Yalda's haar. Tegenspreken heeft geen zin, het meisje heeft nu een liefdevol luisterend oor nodig. 'Ach, jij toch. Dat doet zeer, is het niet?'
Uiteindelijk komt de aap uit de mouw. Yalda bekent dat ze een terugval heeft gehad. Ze is niet naar therapie geweest en heeft thuis gelogen. Kortom, het voelt als terug naar af. 'Ik ben niet meer gemotiveerd,' snikt ze. 'En mijn ouders dreigen me uit huis te plaatsen. Mag ik weer bij jou wonen, Annerieke?'
Nee, dat ziet Annerieke niet zitten, maar ze houdt een slag om de arm. 'Bedaar jij nu eerst maar eens. Weet Sandrien dat je hier bent?'

Yalda kijkt Annerieke met een vuile blik aan. 'Het is oorlog thuis. Ik heb er geen zin meer in.' Na een halfuurtje is Yalda iets gekalmeerd. Ze drinkt een kop sterke koffie en accepteert een stuk ontbijtkoek.
Kleintje blijft op eerbiedige afstand staan gluren naar die jammerende tante.
Wanneer de telefoon gaat en Annerieke opneemt, blijkt het Sandrien te zijn, die driftig roept dat ze naar Yalda heeft lopen zoeken. 'Het schoot me te binnen dat jij een baantje hebt. Het was even zoeken, maar Esther kon me verder helpen. Nou ja.'
Yalda maakt met beide handen afwerende bewegingen, die door Kleintje worden geïmiteerd.
Annerieke zegt zonder stemverheffing dat Sandrien het goed heeft geraden. 'Luister, Sandrien. Laat Yalda een paar uur hier bij mij, zodat ze wat tot rust kan komen. Jaag haar niet op en zie dat je haar therapeut te spreken krijgt.'
Yalda vervalt in een somber zwijgen. 'Ik weet zeker dat ze al op weg is hierheen. Desnoods komen ze samen om me mee te slepen. Ik haat ze.'
Kleintje zakt op haar knietjes en duikt met haar hoofdje onder de kap van de poppenwagen. 'Aat je,' zegt ze tegen een poppenkind.
Annerieke verbreekt de verbinding. 'Zo, wat nu? Hoe had jij je de naaste toekomst gedacht? Ik neem aan dat je je diploma wel wilt halen. Anders ben je nog langer afhankelijk van je pleegouders. Is Peter de enige reden? Of is er in huis iets gebeurd? En nu niet liegen, alsjeblieft. De waarheid, Yalda.'
Yalda kluift op een ergerlijke manier op haar nagels.
Annerieke durft er niets van te zeggen.
Nors komt er een reactie. 'Ik wil bij jou blijven, en als dat niet mag, ben ik weg. Het leven is toch al waardeloos. Ik kan net zo goed in Amsterdam op straat gaan leven of zoiets.'
Annerieke voelt een dodelijke angst in zich opkomen. Ze weet inmiddels waartoe het meisje in staat is. Verliefd, goed, ze was

gecharmeerd van Peter Daniëls. Het is ook een leuke vent. Maar dat Yalda zichzelf niet tot de orde heeft geroepen, begrijpt ze niet. Er is leeftijdsverschil en ze hebben buiten het geadopteerd zijn niets gemeen. Dan slaat ze haar armen opnieuw om Yalda heen. Ze voelt bijna lijfelijk de eenzaamheid die haar jonge gast bekruipt, haar hunkering naar waardering en liefde. 'We komen er wel weer uit. Dat is vorige keer ook gebeurd, en je ziet het verschil. Je hebt deze keer op tijd aan de bel getrokken. Weet je wat, we zullen proberen of je hier kunt logeren. Bij Daan Agricola. Overdag ben ik er ook, dat weet je. Soms slaap ik hier, wanneer hij laat uit zijn werk komt. Op de bovenste verdieping zijn een paar leuke logeerkamers. Niet groot, maar er is wel een badkamer. En Daan is te vertrouwen. Ik bedoel...'
Ja ja, Yalda begrijpt wel wat ze bedoelt. 'Als dat zou kunnen. Ik wil niet naar een of ander gezin gestuurd worden, en ik weet zeker dat ik, als ze me ergens onderbrengen bij meiden die er net als ik aan toe zijn, nog dieper val. Ik weet dat ik afglijd. Ik zie het mezelf bijna doen. Maar ik heb geen rem. Die kan ik niet vinden. En Peter...'
Annerieke maakt twee kopjes verse koffie. Ze pakt zelf ook een stoel.
Zwijgend zitten ze tegenover elkaar.
Anneriekes gedachten razen door haar hoofd. Goede raad, waar vind ze die? Thea, ja, maar ze kan en wil Thea niet lastigvallen. Net terug van een fijne reis en dan Yalda op je dak krijgen. Voorzichtig informeert Annerieke naar school. Slechte cijfers? Tegenvallende resultaten? Problemen met docenten te klasgenoten?
'Gaat allemaal wel. Toen ik Peter zag was het alsof ik door het lint ging. Ik kon hem en die oudere meid wel aanvliegen. Als ik een wapen had gehad...'
Annerieke lacht haar uit. 'Je maakt me bang. Als je wilt dat ik je help, moet je echt minder agressief worden. Eerste les: be-

heersing. Anders krijg ik mijn broer en zijn vrouw nooit op mijn hand.'

Wanneer Yalda zover is dat ze op de bovenste verdieping de logeerkamers kan inspecteren, is Annerieke zo vrij contact te zoeken met de school. Het blijkt dat Sandrien al aan de noodrem heeft getrokken. En het kost Annerieke de nodige overredingskracht begrip te krijgen voor Yalda's gedrag. 'Gun haar een dag of wat de tijd. Ik zal me voor haar inzetten. Dat is eerder dit jaar ook gelukt.' Dan belt ze niet Sandrien, maar Dick, en wel op zijn werk. Hetzelfde verhaal. Het overtuigen kost nog meer moeite. Maar wanneer een opgefriste Yalda beneden komt, heeft Annerieke goed nieuws. 'We zien het twee dagen aan. Jij pakt je studieboeken op. Ik zorg ervoor dat jij je laptop hier krijgt, en alles wat je nodig hebt. Maar je moet begrijpen dat ik niet kan beloven dat het gaat zoals jij het wilt, dametje. Ik heb rekening te houden met Daan. Het is hier geen hotel, en uiteindelijk heb ik hier niets te vertellen.'
Daarop reageert Yalda verbaasd: 'Is er dan nog niet iets tussen jullie? Ik dacht nog wel... Nou ja.'
Daan komt vroeger dan verwacht thuis, na een controle in het ziekenhuis. 'Een gast? Wie dan wel?'
Annerieke heeft Andie en Kleintje in hun regenkleding gehesen en samen met Yalda naar buiten gestuurd. Kleintje heeft haar mandje mee, en het is de bedoeling dat ze straks thuiskomen met kastanjes.
Daan hunkert naar een kop koffie, maar dat moet wachten. Annerieke vertelt in weinig woorden wat er aan de hand is. Daan houdt geen oog van haar af. Geweldig Annerieke te zien wanneer ze voor iets of iemand warmloopt.
'Is dat meisje met de kinderen wel te vertrouwen? Ik bedoel, ze heeft psychisch nogal wat meegemaakt. En ze is in therapie, zei je? Vertel eens wat meer over je broer en zijn vrouw.'
Annerieke kan kort zijn. Ze is niet van plan die twee door het

slijk te halen omwille van Yalda. 'Ze komen vanavond even langs. Ik ben zo brutaal geweest ze hier uit te nodigen. Niet dat ik hier iets te vertellen heb, maar dat leek me het handigste. Als je dat niet wilt, bel ik hen nu meteen af en verzin ik wel iets anders. Weet je, Daan, mijn gedachten cirkelen uitsluitend om Yalda. Het ging zo goed.' Ze moet heftig met haar oogleden knipperen om niet te gaan huilen. Was Thea er maar.
Daan kan kort zijn: 'Ik ben veel te dankbaar voor dat wat je hier doet. Ik zou je niet graag zien vertrekken. En dat om meer dan één reden. Hoeveel dagen ben je hier nu al in de weer? Dat is meer dan een vriendendienst. Ik sta erop dat je salaris krijgt. Je zegt maar wat je in gedachten hebt. En nu wil ik dat meisje weleens leren kennen. Waar heb je het spul verstopt?'
Eerst koffie, beslist Annerieke. Ze is Daan heel erg dankbaar. Ze heeft zijn goedkeuring, zij het onder voorbehoud. Nu maar hopen dat Yalda er niet weer een puinhoop van maakt.

Bij thuiskomst blijkt zowel Andie als Kleintje weg te zijn van de nieuwe oppas. Zo zien ze haar, één uit een lange rij babysitters.
Daan ziet meteen dat het klikt, en dat stemt hem tevreden. Hij kan het er niet bij hebben: problemen op het thuisfront.
De kinderen liggen, later op de avond, nog maar net in bed wanneer Sandrien en Dick komen aanrijden.
Daan is doodmoe van zijn werkdag, en het gesukkel met twee stokken valt hem zwaar. Maar gewend als hij is zichzelf weg te cijferen, staat hij klaar om het bezoek te ontvangen.
'Natuurlijk moet je erbij zijn,' roept Annerieke wanneer hij voorstelt zich in zijn werkkamer terug te trekken. 'Mijn broer en schoonzus moeten je leren kennen. Ze wantrouwen mensen toch al zo gauw.'
Zoals verwacht zijn de twee bezoekers onder de indruk van het huis en de omliggende tuin en omgeving.
Annerieke zucht en ontdekt voor de zoveelste keer hoe klein

haar broer Dick en Sandrien denken. Het zijn echte materialisten.
Het blijkt dat Yalda al snel na thuiskomst is teruggevallen. Dat met Peter Daniëls was de druppel die de emmer deed overlopen.
Sandrien doet minachtend. Zo'n blaag die zich verbeeldt dat ze weet wat liefde is, die kalverliefde aanziet voor ik-weet-niet-wat voor emotie.
Het is aan Daan te danken dat het gesprek in goede banen wordt geleid. Er worden afspraken gemaakt. Om te beginnen mag Yalda haar sessies bij de therapeuten niet verwaarlozen. Voor de pleegouders is het eindexamen een hot item.
Sandrien laat zich ontvallen: 'We willen graag dat ze op eigen benen komt te staan.' Het komt anders over, meer als: we willen zo snel mogelijk van haar af.
'Ik zal haar roepen,' zegt Annerieke.
Daan geeft haar een warm knikje. Hij wil ermee zeggen: ik begin je motivatie door te krijgen.
Voordat de twee de kamer betreden, leest Annerieke op fluistertoon Yalda de les. Dan bemoedigt ze haar: 'Hoofd omhoog, schouders recht. Laat zien dat je bijna volwassen bent. Je mag ook laten merken dat het je spijt dat je bent uitgegleden. Geeft niks. Zonder vallen en opstaan wordt niemand groot. Ook een meid die bij haar eigen ouders groot wordt niet.'
Yalda knijpt haar ogen tot spleetjes, en even lijkt het erop dat ze Annerieke wil aanvliegen. Dan kiest ze eieren voor haar geld.

18

YALDA HEEFT BETERSCHAP BELOOFD, EN HET LIJKT te lukken. Annerieke is een paar keer mee geweest om met de therapeuten te praten. Over één ding zijn ze het roerend eens: Yalda heeft een vaste hand nodig, maar nog meer oprecht gemeende liefde. En zonder haar broer en schoonzus af te vallen laat Annerieke merken dat het daaraan bij die twee nog weleens ontbreekt.

Af en toe neemt Annerieke Kleintje mee naar haar eigen huis wanneer ze daar de boel gaat onderhouden. Ze voelt zich een vreemde in haar eigen woning. De nieuwe keuken vooral is haar nog niet eigen. Geleidelijk aan komt er een ritme in haar dagelijks leven. De zorg voor de kinderen en lichte huishoudelijke taken, zoals het doen van de boodschappen en het verzorgen van de maaltijden, vormen de basis van haar huidige bestaan. En natuurlijk is daar Yalda, die veel aandacht vraagt.

Er is met de Blindenbond een afspraak gemaakt. Annerieke is ingeroosterd. En wat een gemak dat Yalda er is. Nu hoeft ze niet op zoek naar een oppas voor de kinderen Agricola. Ze weet al wat haar te wachten staat, maar wanneer ze eenmaal achter de microfoon zit met een boek vóór haar op een standaard en ze naar de knoppen op het paneel voor haar kijkt, krijgt ze het even te kwaad. De technicus, een rustige, alleraardigste man, knikt haar bemoedigend toe. En dan opeens weet ze weer waarvoor ze het doet. Ze ziet in gedachten alle mensen zitten die naar haar stem zullen luisteren, hem nodig hebben omdat ze zelf het licht in hun ogen moeten missen. Het gaat nu om een familieroman, die ze tot twee keer toe heeft gelezen om vertrouwd te worden met de inhoud. Ze krijgt het sein, ze kan beginnen. 'Het was een regenachtige dag, eind januari, toen een onbekende vrouw de winkel van de familie Kuipers in kwam...' Ze voelt onbewust heel even aan de koptelefoon die ze op haar hoofd heeft. Opeens is het er, wat ze nodig heeft. Rust en zelfvertrouwen. De technicus knikt. Ze ziet het niet, maar ze voelt wel degelijk dat het goed gaat. Annerieke wordt niet schor, zoals ze gevreesd had, en ze kan de afgesproken tijd keurig volmaken. Voordat ze vertrekt, worden er nieuwe afspraken gemaakt. Er zit ruim tijd tussen de inspreekbeurten, wat haar de opmerking ontlokt dat het best lang duurt eer een roman klaar is voor verwerking. Wanneer haar werk erop zit, begint het eigenlijke karwei pas, weet ze nu.

Vervuld van het inspreken – ze heeft er echt een goed gevoel over – rijdt ze naar huis. Daar aangekomen ziet ze een voor haar onbekende auto voor het huis staan. Een rode Volvo met op het glas van de achterdeur tientallen stickers van verre oorden.

Yalda, weet Anneriek, is met de kinderen naar de dierentuin. Ze weet zeker dat die nog niet terug zijn.

De rode wagen staat slordig geparkeerd. Annerieke kan die van haar er niet naast zetten. Gewapend met de huissleutel die Daan haar heeft gegeven, laat ze zichzelf binnen. De koffiegeur komt haar tegemoet. Nog voordat ze haar jas uit heeft, wordt duidelijk dat de bezoekster een bekende van de familie is.

De kamerdeur gaat open, en een vrouw van tegen de veertig komt Annerieke zelfbewust glimlachend tegemoet. 'Jij moet Annerieke zijn. Ik ben een vriendin van de moeder van de kinderen. Millie van Beek is mijn naam.'

Een donkere schoonheid die niet veel make-up nodig heeft, is het eerste wat Annerieke denkt. Ze knikt en drukt de uitgestoken hand. Ze zou willen roepen: wie heeft je dan wel binnengelaten?

Millie helpt haar snel uit de droom. 'Ik was bij de Agricola's, de ouders van Daan. Zij zijn heel goede vrienden van me. Daar vernam ik wat er aan de hand was. Ik heb even gebabbeld met

oma, en toen was duidelijk dat ze hier om mij zitten te springen. Als ik geweten had wat er aan de hand was, zou ik eerder gekomen zijn. Ik ben net terug uit Egypte.' Ze wijst naar de kamer. 'Ga toch zitten. Dan haal ik een kop koffie voor je.'
Van het ene moment op het andere is Anneriekes rol veranderd. Ze is niet langer degene die het huishouden runt en de kinderen verzorgt. Nee, ze is gedegradeerd tot visite. Ze wil roepen: ik weet de weg hier ook wel.
Millie zet een kopje koffie voor haar neer en lacht: 'Ik heb mijn koffers nog onuitgepakt in de auto. Ik hoef dus niet eerst naar huis om mijn spullen te halen. Tja, die arme Daan. Hij heeft je ongetwijfeld verteld over de belofte die hij zijn broer heeft gedaan en die hij nu inlost. Alles netjes op papier.' Ze lacht stralend. Haar donkerbruine ogen schitteren. 'Daans schoonzusje was mijn beste vriendin. Al vanaf de zandbak. En ook ik heb een belofte gedaan, en wel aan haar. Maar we hebben het nooit op schrift gesteld, weet je. De dood heeft hen overvallen, zoals dat vaak het geval is. Dus ik ben gekomen om mijn deel van de belofte in te lossen. De kinderen zijn dol op me, dat zul je zien zodra ze thuiskomen. Ik hoorde van Daan dat ze met een kindermeisje op stap zijn?'
Annerieke drinkt haar koffie zo haastig op dat ze zich verslikt. 'Yalda is een gast, geen kindermeisje. Ze is een nichtje van mij. Heb je Daan al gesproken?'
Millie verklaart dat ze met Daans vader naar de fabriek is geweest. Haar ouders waren vrienden van de Agricola's. 'Eigenlijk waren we één gezin. Samen op vakantie, dat soort dingen. Er voor elkaar zijn.'
Yalda komt thuis.
De kinderen hollen via de achterdeur het huis in.
'Annerieke,' roept Andie. 'Weet je wat we gezien hebben?' In de deuropening blijft hij stokstijf staan, zijn wangen rood van opwinding en de koude wind, jas los. Hij staart naar Millie en deinst terug de hal in.

Annerieke hoort hem zeggen: 'Nee hè.'
'Schatje van me, kom eens bij tante Millie. Je kent me toch nog wel?' Millie schatert.
Het schelle geluid doet Annerieke ineenkrimpen. Millie, de vriendin des huizes. Nu zijn Daans problemen in één keer opgelost.
Yalda is benieuwd wie de bezoekster is die ze hoort lachen. Ze pelt Kleintje uit haar jasje en geeft haar een duwtje in de richting van de kamer.
Andie legt zijn handen op de schouders van zijn zusje, en in gesloten formatie gaan ze op weg naar het bezoek.
Kleintje blijkt een perfect geheugen te hebben, gezien haar reactie. 'Cadeautjes.'
'Dag, Birgit. Dag, Andie van me. Wat heb ik jullie gemist.'
Yalda kijkt met grote ogen van Annerieke naar Millie. Ze trekt haar wenkbrauwen omhoog om aan te geven dat ze een vraag beantwoord wil zien: wie is dat mens?
Annerieke gaat stuntelig staan. 'Yalda, dit is een vriendin van de familie, en als ik het goed begrepen heb...'
Millie houdt een spartelend Kleintje tegen zich aan.
'Natuurlijk. Ik heb het telefonisch met Daan overlegd. Jullie kunnen verder met je eigen leven. Ik neem de honneurs hier waar. Zo zou mijn vriendin het gewild hebben. Daans ouders zijn het met me eens. Fijn dat je een paar weekjes kon inspringen. Is Daan je nog iets schuldig? Salaris?'
Yalda houdt haar adem in en bijt op haar onderlip om de woorden binnen te houden die ze eruit zou willen gooien. 'Annerieke,' brengt ze uit.
Annerieke knikt haar toe. 'Ga maar vast pakken, Yalda.'
Yalda is nog niet op de bovenste verdieping of ze hoort Annerieke achter zich aankomen. 'Leg dat eens uit,' sist ze.
Annerieke trekt de deur van haar slaapkamertje achter zich dicht. 'Vriendin des huizes, terug van buitenlandse reis, is door oma gecharterd om hier voor moedertje te gaan spelen. Zo

ongeveer zit het in elkaar. Ik houd het hier niet langer uit. Schiet op met pakken.'
Een kwartier later staat hun bagage in de hal.
'Wat jammer nu toch dat je Daan misloopt. Ik zal hem je groeten overbrengen.'
Andie zit stilletjes in een hoek autootjes heen en weer te schuiven, zijn hoofdje gebogen.
Kleintje heeft de tas van Millie ontdekt en draait net de dop van een lippenstift wanneer de eigenaresse het ontdekt. 'Laat dat, Birgit. Je mag niet aan de spullen van een ander zitten.' En zuchtend zegt ze tegen Annerieke, die haar jas dichtritst: 'Dat heb je als ze te lang zonder ouderlijk toezicht zijn. De grootouders zijn ongeschikt om de kinderen te begeleiden. Bovendien rouwen ze nog om het verlies van hun zoon en schoondochter. Daans moeder is er echt slecht aan toe. Enfin, nu ben ik er.'
Yalda gaat zonder groet naar buiten, gooit haar rugzak en koffer op de achterbank en gaat vast zitten. 'Lamme vent, die Daan Agricola. Hij neemt niet eens de moeite om de boodschap zelf over te brengen,' mompelt ze tegen zichzelf.
Annerieke heeft meer bagage en moet twee keer lopen om de koffers in te laden.
Dan ontdekken de kinderen dat ze vertrekt. Het begrip koffers kennen ze maar al te goed.
'Niet gaan,' krijst Andie, en hij holt zonder jas achter Annerieke aan.
Kleintje volgt hem, sukkelend op haar kromme beentjes.
Daisy sluit de rij, blaffend en springend.
Annerieke vangt de kinderen op in beide armen. 'Dag, schatten. Lief zijn voor pappa en de tante.' Ze krijgt natte kusjes, en het lukt haar niet zich los te werken.
Maar daar is Millie al. Ze rukt de kinderen aan hun handjes naar zich toe. 'Dat hoort niet zo, Andie. Dat moet je toch weten. Hup, naar binnen jullie. Veel te koud zo, zonder jas.'

Eenmaal op weg krijgt Yalda het te kwaad. Tranen druppen uit haar ogen. 'Zo gemeen, je op die manier te behandelen. Wist je er iets van?'
Annerieke rijdt langzaam de Laan van Lieren uit. Ze is nauwelijks in staat op het verkeer te letten. 'Nooit van dat mens gehoord. Ze was er al toen ik terugkwam van het inspreken, je weet wel. En ik heb begrepen dat ze van oma Agricola de sleutel heeft gekregen. Het schijnt dat die blij was met haar hulp omdat ze een bekende van de familie is. Nou ja, dat was het dan.'
Aan het eind van de laan steekt een vrouw de laan over, leunend op de stang van haar rollator. 'Mevrouw Jongeneel, met beide katten.' Annerieke neemt vaart terug en wuift.
'Je huilt,' schrikt Yalda.
Annerieke snottert: 'Raar. Ik kon me tot nu toe goed houden. Ik snap mezelf niet. Het heeft niets met dat vrouwtje te maken, en toch ergens ook weer wel.'
Yalda legt haar smalle meisjeshand op die van Annerieke. 'Kom op, dan gaan we naar huis. We vergeten die lui alsof ze nooit bestaan hebben.'

Maar dat laatste is gemakkelijker gezegd dan gedaan. Het huis is koud, de verwarming staat laag, het wordt al vroeg donker en bovendien begint het te regenen.
'Zet een pot thee, Annerieke. Ik heb zin in thee. Dan haal ik alle bagage. Je denkt toch niet dat ik nu terug naar huis ga, hè? Ik ben er voor je, hoor.'
Lampen aan, thermostaat hoger. De post nakijken, gordijnen dichtdoen. Maar het is Annerieke alsof ze nooit meer warm zal kunnen worden.
Yalda doet geforceerd vrolijk. Ze neemt de moeite om Sandrien in te lichten over de adreswijziging. Ja ja, alles gaat goed, en als ze even tijd heeft, komt ze snel een keer langs om bij te praten.

Annerieke kijkt in de lege koelkast en sluit hem zuchtend. Gelukkig zijn de diepvriesladen voorzien van onder meer brood. Zelfs beleg vindt ze onder een pak spinazie. Tosti's, natuurlijk. Ze kan tosti's maken.
'Geweldig,' prijst Yalda haar. 'We doen er wat mosterd op. Of piccalilly. En thee, ik wil een grote mok zoete thee.'
Alsof ze niet weg zijn geweest.
Yalda zet de televisie aan.
Ze proberen zich al etend op het nieuws te concentreren.
Wanneer de telefoon gaat, beduidt Yalda dat ze hem wel opneemt. Ze ziet op het display wie de beller is en neemt de vrijheid om de verbinding te verbreken. 'Het schikt ons niet, toch?' doet ze vrolijk. Even later schrikt ze. 'We zijn overhaast vertrokken. Ik heb mijn fiets nog ginds staan . Hoe los ik dat op? Morgen voor schooltijd even langsgaan? Dat mens hoeft er niets van te merken.'
Annerieke veronderstelt dat ze zelf ook nog wel het een en ander vergeten kan zijn. 'Ik ga er nu niet achteraan.'
De telefoon rinkelt nog een paar keer die avond. Geen van beiden doet moeite om op te nemen.
'Als ik er nu niet was, Annerieke, zou je best een paar weekjes naar Thea kunnen gaan. Zal ik maar teruggaan? Ik heb het best voor je over.'
Annerieke werpt een bedroefde blik op het schilderij waarmee alles begonnen is. 'Lieverd, nee, het was niet leuk op zo'n manier afgedankt te worden, vooral niet omdat Daan... Nou ja, hij deed alsof ik belangrijk voor hem was. Niet dus. Echt, morgen kijk ik alweer anders tegen het gedoe aan. Er is uit ons contact toch nog wel iets positiefs voortgekomen. Ik heb je nog niets verteld over het inspreken.'
De avond verglijdt langzaam, en wanneer Annerieke in bed ligt, is ze blij dat ze zich niet langer groot hoeft te houden. Waarom druppen er tranen uit haar ogen? Is het echt alleen het afgewezen zijn? Alsof ze niet meer dan een sloofje was?

Nee, ze moet onder ogen zien dat Daan haar niet onverschillig is. Ze heeft hem op afstand weten te houden en zichzelf wijsgemaakt dat je geen relatie begint op de manier die hij voorstelde. Hij had het zelfs over een huwelijk. Nou, er staat een andere kandidaat klaar. Millie zal heus geen genoegen nemen met een zolderkamertje. Misschien denkt ze wel dat Daan plaatsmaakt voor haar in zijn bed. Spijt heeft Annerieke ook. Spijt dat ze hem niet heeft laten merken dat ze hem meer dan sympathiek vond. Het is onmogelijk de situatie terug te draaien. Maar heeft ze zich niet altijd al laten overspelen door anderen? Ze is gewend zich terug te trekken. Niet omdat ze snel beledigd is. Het is meer een vorm van bescheidenheid, misschien wel gemakzucht. Ze mist Daan, maar ook de kindertjes.

Wat ze verwacht had, weet Annerieke een paar dagen na haar haastige vertrek niet te verwoorden. In ieder geval geen stilzwijgen. Daan laat niets van zich horen, wat toch een tegenvaller is. Tegenover Yalda houdt ze zich groot. Ze zegt dat ze blij is dat ze haar eigen tijd weer kan indelen. Maar veel valt er niet in te delen. Ze draait haar wasje, stofzuigt en lapt de ramen. Wanneer Thea belt, laat ze niet merken beledigd te zijn. Het is niet nodig anderen met haar gevoelens te belasten. Thea begint over Kerstmis. 'Het is nog wel een eind weg, maar toch wil ik je vast uitnodigen voordat je andere plannen maakt. Ik, wij, Titus en ik, willen er een geweldig familiefeest van maken, met alles erop en eraan. En daar heb je gasten voor nodig, weet je. Zet het vast in je agenda. Denk je dat de relatie met de kinderen van Bette en Max zo goed is dat ik ook hen kan uitnodigen? Ze hebben op onze trouwdag al wel kennisgemaakt met Peter, maar ik zag graag dat ze elkaar beter leren kennen. Peter zit immers niet dik in de familie.' Thea rebbelt nog even door en merkt niet dat Annerieke nogal stilletjes is en anders reageert dan normaal.

Kerstmis. Vorig jaar leefde haar vader nog. Maar er was geen sprake van enig feestelijk gebeuren. Kerstmis, één van de hoogtepunten in het jaar, de geboorte van Jezus Christus. Van kribbe naar kruis. Met de armen over elkaar staat Annerieke voor het raam. Ze kijkt naar de nu winterse tuin. Beelden uit het verleden flitsen langs haar geestesoog. Kerstfeest van de zondagsschool. Hoe oud was ze toen? Negen of tien? De kerk zat bomvol. Ze zat met leeftijdgenootjes vooraan, vlak bij de boom, die tot aan het gewelfde dak reikte. Er preekte een dominee. Later deed een zondagsschoolleider het nog eens dunnetjes over. Ja, toen begreep ze voor het eerst de zin van Kerstmis. Van kribbe naar kruis. Ze huivert en herinnert zich nog de vragen die ze op haar ouders afvuurde. Ze werd met een kluitje in het riet gestuurd: 'Kind, dat kun jij toch nog niet begrijpen. Dat komt later wel.' Er kriebelt een glimlach om haar mondhoeken. Dat komt later wel. Hoe vaak heeft ze die woorden moeten horen? Ze heeft geleerd zelf antwoorden op haar vragen te krijgen. Alleen wil dat nu niet lukken. Waarom laat Daan niets meer van zich horen? Had ze die bewuste dag maar naar haar intuïtie geluisterd en de telefoon wel opgenomen. Het moet Daan geweest zijn, die belde. Maar waarom heeft hij het daarbij gelaten? Op de straatweg is weinig verkeer, en wanneer er toch een auto aankomt en ook nog eens voor haar deur stopt, kijkt Annerieke nieuwsgierig wie de bestuurder wel mag zijn.
Een aantrekkelijke man van midden in de dertig, misschien veertig, stapt uit en beent resoluut de tuin in.
Annerieke doet een stap achteruit en wacht totdat de bel gaat. Dan pas komt ze pas in beweging.
'Ha, u bent thuis. Ik neem aan dat u mevrouw Atema bent?'
Annerieke knikt als groet en bevestigt meteen daarmee zijn vraag.
'Ik heb uw adres gekregen van antiquair Van Werven. En ook dat van ene Agricola. Helaas trof ik daar niemand thuis, en

ook telefonisch kon ik daar niemand bereiken. Het gaat om een schilderij...'
Annerieke verstarde toen de naam Agricola werd genoemd, maar nu blijkt dat het om het schilderij gaat, is ze nieuwsgierig en noodt ze de man binnen.
Harold Rosendaal is zijn naam. Hij veegt zorgvuldig zijn voeten en loopt dan de hal in. 'Leuk huis, rustige buurt ook.' In de kamer gekomen loopt hij meteen op het schilderij af. 'Geweldig toch. Nummer zoveel. Staat u me toe dat ik het even van dichtbij bekijk? Zo op het oog zijn alle stukken precies hetzelfde, maar dat is niet waar. U hebt zich nooit afgevraagd hoe een kunstschilder ertoe komt een aantal schilderijen met hetzelfde onderwerp te maken?'
Hij gaat zitten, nog voordat Annerieke hem dat verzoekt.
Harold grijnst en woelt met beide handen door zijn nogal slordig kapsel.
Annerieke biedt hem koffie aan, maar hij bedankt.
'Ik heb begrepen dat een kleinzoon van Agricola achter de schilderijen van zijn grootvader aanzit en er foto's van maakt. Bent u daarvan op de hoogte?'
Annerieke knikt ten antwoord.
Harold vervolgt: 'Natuurlijk is hij ook op de vraag gekomen waarom steeds hetzelfde onderwerp is geschilderd. Wel, daar kan ik een simpel antwoord op geven.'
Annerieke gaat ook zitten. Ze is één en al belangstelling. 'Dat houdt mij ook bezig. Ik kan me nog voorstellen dat je twee of drie keer hetzelfde onderwerp op een doek vastlegt. Maar er zo'n tien, misschien wel twintig van te maken... Het lijkt wel massaproductie. Maar het is en blijft handwerk.'
Harold knikt enthousiast en zegt zelf ook te schilderen. Nee, geen moderne kunst. Eenvoudige landschappen die toch ook iets aan de fantasie van de kijker overlaten. 'De schilder Agricola heeft de Tweede Wereldoorlog meegemaakt. Hij zat ondergedoken bij een weduwe die in een afgelegen huis

woonde.' Hij wijst naar het schilderij. 'Dat huis staat om de hoek van dag weggetje. Nee, ik zeg het fout. Het huis staat daar waar het pad begint. Je ziet het pad dus vanuit dat huis. Agricola was niet de enige onderduiker. Hij is tot het einde van de oorlog daar gebleven, maar de anderen waren passanten, meestal joden. De weduwe was een schakeltje in een ketting. Johannes Agricola had, op papier althans, tbc. En hij woonde in een bovenkamer met balkon. Altijd de deuren open vanwege de frisse lucht. Vanaf dat balkon zag hij wat wij nu op het schilderij zien.'
Annerieke bekijkt haar schilderij opeens met andere ogen. Met die van de grootvader van Daan. 'En waarom...'
Harold knipt met een duim tegen een vinger. 'Hij was een heel aimabele man, die met iedereen goed kon opschieten en snel vrienden maakte. Je hebt van die mensen.'
Donkerbruine ogen houden die van Annerieke even vast. 'En toen hij voor de eerste keer dat pad had geschilderd, kwamen de verzoeken van de onderduikers en vrienden van de weduwe. Zo'n schilderij wilden ze ook wel hebben. Voor later, wanneer de oorlog voorbij zou zijn. Omdat Johannes toch weinig omhanden had en niets anders kon dan schilderen, ging hij op de verzoeken in. Het doodde de tijd. Hoe ik dat weet?'
Annerieke begint de man hoe langer hoe sympathieker te vinden.
Hij is een goed verteller. 'Die weduwe was mijn overgrootmoeder, die ik nooit gekend heb, trouwens. Maar de verhalen bleven leven en werden doorverteld in de familie. Vandaar dat ik op de hoogte ben. Hoeveel de goede man heeft geschilderd, weet niemand precies. Maar hij heeft ze genummerd. Dat zal de kleinzoon wel interesseren. Ergens in het landschap moet een cijfer staan. Ik heb een loep in de auto. Staat u me toe dat ik die haal en uw schilderij aan een onderzoek onderwerp?'
Annerieke vindt het best. Terwijl Harold Rosendaal naar buiten loopt, haalt ze met enige moeite het schilderij van de

wand. Ze legt het op tafel. Ze speurt tussen de blaadjes van de bomen. Haar blikken glijden langs het zandpaadje en de wilde bloemen in de bermen.
Harold komt terug en gaat naast Annerieke staan. 'Een zoekplaatje, nietwaar? Maar ik help u snel uit de droom. Dan weet u op welk plekje dit schilderij in de reeks heeft gezeten.'
Harold weet waar hij zoeken moet: in de bewolkte lucht. Kleine schapenwolkjes doen hun naam eer aan en bedekken voor een groot deel de blauwe zomerlucht. 'Daar,' wijst Harold Rosendaal. 'Tussen die wolkjes zitten van die kriebeltjes wit die zo op het eerste gezicht de aanzet voor nieuwe schapenwolkjes moeten lijken. Nummer twee. Dit is nummer twee.'
Nu ze erop attent is gemaakt, ziet Annerieke het ook. 'Die Johannes wist dus dat er meer zouden volgen. Ik vind het een eer nummer twee te hebben. Al zou nummer één nog leuker zijn.'
Harold lacht zacht. 'Die heb ik. Geërfd van mijn grommie. Zo werd ze genoemd. Ze was mijn overgrootmoeder. Moeder van mijn grootmoeder. Het schilderij is me altijd dierbaar geweest. Weet je wat ik als kind vaak dacht?'
Hij kijkt Annerieke aan, maar die is hem voor. 'Dan vroeg je je vast ook af wat er achter de bocht op dat paadje was. Een huis? Misschien een bos? Ik bedacht er telkens iets anders bij.'
Harold laat de loep in zijn zak glijden en schatert. Hij legt zijn handen in een vrijmoedig gebaar op Anneriekes schouders. 'Twee zielen, één gedachte. Ik was een eenzaam kind. Het schilderij hing bij ons thuis in een kamertje waar veel boeken stonden, en die we deftig de bibliotheek noemden. Zeg, nu heb ik toch wel trek in een kopje koffie. Is het te veel moeite?'
Na het tweede kopje koffie ontdekken ze dat ze elkaar tutoyeren.
Harold informeert naar de activiteiten van Daan rondom de schilderstukken. 'Hij wil een boekje maken, hoorde ik van de antiquair. Goed idee. Als ik hem was, zou ik op internet een oproepje plaatsen. Wie weet wat daaruit voortkomt. De oor-

spronkelijke eigenaars leven waarschijnlijk niet meer. Ze hadden een band voor het leven, ook al verloren ze elkaar uit het oog. Wie weet is het voor de erfgenamen ook leuk elkaar te leren kennen.'

Of Annerieke contact onderhoudt met Daan Agricola. 'Niet echt,' zegt ze aarzelend. Ze kan Harold moeilijk vertellen hoe hun toch wel intieme relatie geëindigd is.

'Jammer, dan probeer ik hem zelf nog eens te bereiken.'

Wanneer Harold – na een derde stoot cafeïne – wegrijdt, is het opeens wel erg stil in huis. Hij heeft het schilderij teruggehangen. Annerieke kan er nu nooit meer naar kijken zonder het bleke schapenwolkcijfertje te zien. Een schilderij, dat getuige is geweest van zo veel spanning en andere zware emoties.

Later op de dag gaat de telefoon in de kamer: Harold wil bedanken voor de manier waarop hij is ontvangen. 'Als je zin hebt... Ik exposeer vlak voor Kerstmis. In een galerie. Als je zin hebt om te komen, ben je meer dan welkom, Annerieke.'

Yalda vindt bij thuiskomst een opgewekte Annerieke. 'Wat is er met jou? Heeft Daan contact gezocht?'

'Niet Daan, maar Harold Rosendaal.'

Yalda zou Yalda niet zijn als ze niet het naadje van de kous zou willen weten. Wanneer Annerieke is uitverteld, roept ze tevreden: 'Ze zeggen toch dat als er een deur wordt gesloten, er een raam of zoiets opengaat? Zo is het ook met jou. Daan uit beeld, Harold Dinges erin.' Ze maakt een pirouette. De tegelvloer van de nieuwe keuken is daar prima geschikt voor. Ze geeft Annerieke, die in een wok roert, een por. 'En het mooie is, meid, dat het niet alleen voor jou opgaat, maar ook voor mij. Peter Daniëls eruit, de neef van mijn beste vriendin erin.'

Daar moet Annerieke het fijne van weten. Lang nadat de wokmaaltijd is verorberd, is het onderwerp nog steeds onveranderd.

19

EEN UITNODIGING VAN TANTE BETTE: OF ANNE-rieke zin heeft om bij haar thuis sinterklaasfeest te vieren. Haar stem schalt zo luid door de telefoon dat Annerieke de hoorn een stukje van haar hoofd moet weghouden. 'En de kinderen komen ook, met de kleinkinderen. En opeens zag ik jou in gedachten zitten: moederziel alleen. Je bent zo'n schat voor me geweest toen ik in de puree zat. Echt, dat vergeet ik nooit. We trekken lootjes. Dat betekent dat je niet voor iedereen iets hoeft te kopen. Nou?'

Annerieke weet niet zo snel hoe ze kan bedanken zonder haar tante te beledigen. 'Ik ben niet zo'n feestmens. Dat weet u ook wel. En vijf december vierden we hier thuis allang niet meer. Als je kinderen komen, tante Bette, hoor ik daar echt niet tussen te zitten. Maar hartelijk bedankt voor de vriendelijke uitnodiging.'

Bette houdt nog even aan en komt dan met een ander plannetje op de proppen. 'De oude dame bij wie ik een paar keer in de week help, wil je graag een keer ontmoeten en horen wat je te vertellen hebt over die inspreektoestand. Ze kan zich er geen voorstelling van maken. Zou je dat willen, een keer met me meegaan?'

Dat wil Annerieke wel. Ze hoeft zich niet te bedenken. Het antwoord is grif ja.

'Leuk. Dan maken we meteen een afspraak. Als het je schikt, deze week nog.'

Mevrouw Duindoorn is de naam van de bewuste blinde dame. Hoewel het een koude dag met oostenwind is, neemt Annerieke toch de fiets om naar tante Bette te gaan.

Het is een andere vrouw, die tante Bette, dan ze het afgelopen halfjaar geweest is. Ze omhelst Annerieke alsof ze net terug is van een wereldreis.

'Je ziet er goed uit, tante Bette. Nieuwe haarkleur, met die grijze strepen erdoor. Leuk.'
Bette kleurt en zegt dat haar dochter mee is geweest naar de kapper. 'Van jou kan ik niet zeggen dat je er toppie uitziet. Witjes. En je oogt nogal somber. Te hard gewerkt, bij die papierfabrikant? Hoe kwam het dat je zo abrupt met je baantje ophield? Ja, kleine kinderen kunnen je slopen. Misschien lijkt het je wel wat net zo'n adresje als ik te veroveren. Het betaalt niet echt, maar je hebt iets omhanden en doet er nog goed mee ook.'
Naast elkaar fietsen ze door de winters aandoende straten. Het blad is van de bomen. De voortuinen zien er heel anders uit dan in de zomer.
Mevrouw Duindoorn woont in een bungalow in een aardige straat, met een flinke bestrate tuin.
Bette wijst waar Annerieke haar fiets kan zetten, plaatst de hare ervoor en klikt ze met een enorm slot aan elkaar.
'Je weet maar nooit wat hier rondschuimt. Een fiets is zo gepikt.' Ze trekt Annerieke mee, haalt een sleutel uit haar jaszak en opent de voordeur. 'Leuk huisje. Jammer dat zij er niets meer van kan zien. Maar ze kent ieder hoekje, en vallen doet ze nooit. Ik mag dan ook nooit iets verzetten, weet je.'
Hun jassen mikt Bette over een stoel in de hal. Ze roept: 'Ik ben er.'
De winterzon schijnt volop in de knusse woonkamer, die ruim is en veel loopruimte heeft.
Een fragiele bejaarde dame zit op een hoge stoel bij het raam. Op haar schoot zit een zwarte poes, die de bezoekster met kille blik aankijkt.
'Ik heb Annerieke meegebracht. U weet wel.' Bette duwt Annerieke tot vlak voor de stoel.
Alsof ze haar zien kan, steekt mevrouw Duindoorn een hand uit naar Annerieke. 'Prettig dat je mee wilde komen. Ik zag er echt naar uit.' De handdruk is stevig. De ogen gaan schuil ach-

ter donkere brillenglazen. Op de vensterbank naast haar staat een telefoon, en er ligt een dik boek waaruit Bette haar regelmatig voorleest. 'Ik mag je toch bij de voornaam noemen? En jij zeggen? Mijn generatie is dat niet zo gewend, moet je weten. Het was altijd 'u' en 'mevrouw'. Was je ongehuwd, dan bleef je juffrouw. Dat is allemaal anders geworden.'
Bette loopt naar de keuken om voor thee te zorgen.
Mevrouw Duindoorn spreekt gemakkelijk en vertelt vrijmoedig over haar handicap en de problemen die dat met zich meebrengt. 'Het afhankelijk zijn, daar heb ik aan moeten wennen. Je komt op de wereld als een superafhankelijk wezen, je bent nog tot niets in staat. En op diezelfde manier verlaten we de aarde weer. Maar dan ben je wel wat jaartjes ouder en wijzer. Ik heb nu tijd om te denken, door te denken. Over God en zijn bedoelingen met ons, met de wereld, zijn schepping. Ja, ik kan wel zeggen dat ik vrede in alles heb gevonden, en dat wens ik iedereen toe. Maar nu genoeg gepraat. Vertel eens iets over jezelf.'
'Daar is niet veel over te zeggen, mevrouw Duindoorn. Ik ben een nogal saai type. Heel gewoon om te zien en nooit echt iets bereikt. Ik heb nooit keuzen gemaakt. Ik heb me zo'n beetje laten leven. Sinds mijn ouders zijn overleden, leef ik alleen, en eerlijk gezegd heb ik mijn draai nog niet gevonden.' Annerieke vindt het opmerkelijk dat ze zo gemakkelijk met deze oudere vrouw kan praten. Ze vertelt over haar leven met Thea en Yalda, de verbouwing en haar kortstondige baantje.
'En nu doe ik dus vrijwilligerswerk. Ik ben goedgekeurd. Dat wil zeggen: mijn stem is geschikt bevonden om boeken voor blinden, slechtzienden en gehandicapten in te lezen. Het gaat nog weleens fout, maar dankzij de technicus wordt het allemaal zoals het zijn moet.'
Bette brengt thee en zet het kopje voor mevrouw Duindoorn precies op het plekje waar ze het wenst.
'Je hebt een kijkje genomen bij de CBB, hoorde ik van Bette.

Vertel er eens over. Ik weet er wel iets van, maar ik heb nog nooit iemand gesproken die alles daar met eigen ogen heeft aanschouwd.'
Annerieke begint bij het begin: het beeld voor het gebouw dat ze zo treffend vond. Handen die een brailleboek vasthouden.
Wanneer ze is uitverteld, knikt mevrouw Duindoorn. 'Ik zie het voor me. Je kunt beeldend vertellen. Weet je, ik heb het er ook met Bette over gehad, ik laat die stichting een legaat na. Mijn dochter kan zich goed redden. Ze heeft mijn geld niet nodig. En niemand beseft wat het luisteren naar een goed boek voor me betekent. Ik ga me ook op een paar tijdschriften abonneren. Als ik jou zo hoor spreken, denk ik dat meer mensen de bond in hun testament zouden moeten zetten.'
Bette schenkt thee bij.
Het verwondert Annerieke dat de toch altijd zo praatgrage vrouw ook stil kan zijn en een ander de ruimte kan geven.
Van voorlezen komt die middag niets. Mevrouw Duindoorn zit vol vragen. 'Ik ben te oud om braille te leren. Jammer is dat. Als ik dat kon, zou ik meer mogelijkheden hebben. Mailen bijvoorbeeld. Ik denk erover een telefoonclubje op te richten voor mensen zoals ik. Je kunt tegenwoordig toch ook telefonisch vergaderen? Lotgenotencontact. Dat doorbreekt de eenzaamheid.'
Bette veegt langs haar ogen, ziet Annerieke.
'Dat lijkt me een goed plan. Misschien bestaat er al wel zoiets. Tante Bette, je krijgt huiswerk. Vanavond kruip je maar achter de computer om dat uit te zoeken.'
Aan het eind van de middag is mevrouw Duindoorn duidelijk vermoeid. En tot haar verrassing komt onverwachts haar dochter op bezoek, een vriendin van Bette.
'Kom je nog eens terug, Annerieke? Als je tijd hebt. Je hoeft het niet uit medelijden te doen. Dat is altijd zo akelig: ik weet nooit of de mensen medelijden met me hebben of dat ze menen wat ze zeggen en mij willen leren kennen.'

Annerieke zegt spontaan: 'Dat laatste. Echt waar. Nu weet ik nog beter waar ik het voor doe, dat inspreken. In het vervolg zie ik u zitten en lees ik u voor.'
De dochter laat hen uit. Terwijl zij en Bette druk doende zijn een afspraak te plannen voor een winkeluitje, loopt Annerieke terug naar haar fiets. De wind stoeit met verdord blad, dat in kringetjes over de stenen danst. Annerieke huivert en kijkt verlangend om waar Bette blijft.
'En? Hoe vond je mijn mevrouwtje?'
Annerieke zegt verrast te zijn. 'Er gaat zo veel kracht van haar uit. Zo'n kleine vrouw, gehandicapt. Menigeen kan een voorbeeld aan haar nemen.'
Annerieke bedankt voor de uitnodiging met Bette mee naar huis te gaan.
'Je kunt ook blijven eten.'
Annerieke is eerlijk. 'Ik heb zo veel informatie gekregen. Echt, tante Bette, ik moet eerst verwerken wat we hebben besproken. En bedankt dat je me aan mevrouw Duindoorn hebt voorgesteld.'
Thuisgekomen heeft Annerieke haar jas nog niet uit of de telefoon gaat. Het is Harold Rosendaal. Of ze een afspraak zullen maken? Uit eten? 'Het zou leuk zijn je wat beter te leren kennen, Annerieke.' Hij belooft wat foto's mee te zullen brengen van de omgeving waar het schilderij is gemaakt.
Uit eten. Voor menigeen de gewoonste zaak van de wereld. Maar Annerieke is niet zo vaak uitgenodigd.
Yalda weet wel wat ze moet aantrekken. 'Niet dat tuttige blazertje dat je altijd draagt wanneer er iets bijzonders is. Koop toch eens iets nieuws.'
Yalda blijkt best een goede smaak te hebben. Ze weet ook welke winkels geschikte kleding verkopen voor 'niet meer zo jonge meiden'.
Bedankt, denkt Annerieke. Een rok, een vlotte bloes in de modekleuren, zelfs een paar hooggehakte schoenen. 'Het is wel

meteen kassa met jou,' plaagt Annerieke wanneer ze in een lunchroom uitblazen.
Yalda kijkt haar diepzinnig aan, lebbert aan een rietje, zuigt hoorbaar de nogal dikke substantie op. 'Je moet jezelf worden, Annerieke. Niet meer de dochter van..., de nicht van... of de buurvrouw van... Nee, je moet jezelf vinden. Dat ben ik ook aan het doen.'
Met die wijze raad en een paar tassen kleding keren ze tevreden huiswaarts.

Het is duidelijk dat Harold Rosendaal Anneriekes uiterlijk waardeert. Hij neemt haar mee naar een wokrestaurant dat pas geopend is. Al snel komt hij met vergeelde foto's op de proppen.
Annerieke slaakt een kreetje wanneer ze het landweggetje ziet. 'Ik herken het aan die bocht. Die is nog hetzelfde. Hoe oud is deze foto?'
Harold kijkt op de achterkant. 'Een paar jaar na de oorlog genomen. Kijk, deze is recenter. De kromming van de weg is hetzelfde gebleven, maar de bomen zijn groot. En er is regelmatig stevig gesnoeid. Ik heb ze ook aan Agricola laten zien. Hij was enthousiast.'
Annerieke verschiet van kleur en verslikt zich bijna in een stukje stokbrood. 'Je hebt hem ontmoet?'
'Jazeker. Hij schiet goed op met de voorbereidingen voor het boekje. Frappant, al die bijna gelijke schilderijen. Hij was zo verrast als wat toen hij hoorde dat ze genummerd zijn.'
Meer, veel meer zou Annerieke over Daan willen horen. Ze weet niet goed hoe ze dat voor elkaar moet krijgen. 'Dus hij heeft... Zijn de nummers ook te zien op de foto's die hij heeft genomen?'
Dat is het probleem, vindt Harold. 'Ik denk dat hij opnieuw contact moet zoeken met de huidige eigenaren. Want niet op iedere foto is de lucht goed te zien. De bezitters hadden ook

allemaal een eigen verhaal over hoe het schilderij in de familie is gekomen. Agricola wil bij ieder afgedrukt schilderij een klein stukje schrijven over de feiten. Jammer dat hij er een tijdje niets aan heeft kunnen doen. Maar ja, wat wil je? Zijn moeder is overleden, zijn vader heeft een gebroken heup, en dan die kinderen van zijn broer. Ik heb echt met die kerel te doen.'

De eetlust vergaat Annerieke op slag. 'Zijn moeder was hartpatiënte. Dus ze is... Wat naar voor hem. Ik weet uit eigen ervaring hoe hard zoiets aankomt. Het zet je leven op z'n kop. Nu nog denk ik vaak: dat moet ik pappa vertellen. Zo dom.'

Harold eet met smaak en spoort Annerieke aan een en ander ook te proeven. Of de vriendin in huize Agricola vaste voet aan de grond heeft gekregen? Dat moet haast wel. Millie van Beek. Annerieke kijkt met tegenzin naar het schaaltje dat Harold haar voorzet. Iets geheimzinnigs, in een jasje van deeg, gefrituurd.

'Proeven.'

Ze neemt een hap, en gelukkig valt het niet tegen.

'Moeten we vaker doen. Ik vond het erg gezellig met je. Ik ga graag met mijn vrienden en vriendinnen ergens eten,' zegt Harold op montere toon wanneer hij later op de avond voor het huis van Annerieke stopt. 'Ik heb een grote vriendenkring. En daar past best nog zo'n aardig iemand als jij bij.' Hij kust haar ten afscheid lichtjes op een wang. 'We bellen.'

Yalda zit als een ongerust en nieuwsgierig moedertje te wachten. Alles wil ze weten. Hoe het eten was, waarover ze hebben gesproken, en of ze een afscheidszoen heeft gekregen. 'Is hij een modern type, dat na een paar afspraakjes verder wil dan jij? Roep je dan: 'Stop. Tot hier'? Of word je een moderne vrouw?'

Annerieke schopt haar schoenen uit. Ze knellen.

'Ik? Ik ben mezelf aan het worden, zoals jij hebt geadviseerd. En of ik zo modern en eigentijds ben? Dat denk ik niet.'

Harold Rosendaal mag dan een gezellige vriend zijn, aan hem besteedt Annerieke geen gedachten. Ze kan de slaap niet vatten en tobt over Daan en zijn omstandigheden. Dolgraag zou ze meer willen weten. Hem condoleren met het verlies van zijn moeder. Maar er staat een levende muur tussen hen in, in de persoon van Millie van Beek. Het is al één uur geweest wanneer Annerieke het bed uit glipt, de badkamer met een bezoekje vereert en ten slotte aan haar bureau gaat zitten. Een briefje. Onpersoonlijker bestaat bijna niet. Maar is er een andere optie?

Beste Daan,
Van Harold Rosendaal hoorde ik dat je moeder is overleden. Daarmee wil ik je condoleren. Ik heb het zelf ook ervaren, en daar komt voor jou nog bij dat je nu ook de zorg voor je vader hebt, die zijn partner moet missen. Veel sterkte toegewenst.
Annerieke

Tien, elf keer leest ze het briefje over. Zo graag, zo heel graag had ze iets anders op papier gezet.

Wanneer Daan twee dagen later het briefje bij de post vindt, is hij beduusd. Hij wist niet beter of Annerieke wilde uit zijn leven verdwijnen. Daar was Millie heel beslist over. Of zou Millie de waarheid een draai gegeven hebben? Hij kan het haar niet meer vragen. Na een knallende ruzie is ze op hoge poten zijn huis uit gelopen, en hopelijk ook zijn leven uit.
Daisy loopt zacht jankend achter Daan aan.
Loopgips is een vooruitgang, zeker. Maar toch niet je van het. Hij gaat met een kop koffie en het briefje op de bank zitten. Boven zijn hoofd is de huishoudelijke hulp in de weer. De stofzuiger zoemt van slaapkamer naar slaapkamer, en af en toe hoort hij de hulp nogal vals zingen.
Annerieke. Daan ging ervan uit dat hij haar beledigd had door

te hard van stapel te lopen. Aarzelend kijkt hij naar de telefoon. Alsof die werd geroepen, begint hij te rinkelen. Natuurlijk, hij wordt op de fabriek verwacht. 'Uitgesteld? ... Komt me goed uit. ... Ja ja, ik zal er zijn. Vier uur, en niet eerder begint de vergadering? ... Tot dan.'
Sinds het ongelukje van zijn vader steunt hij meer dan ook op zijn medewerkers, zonder wie hij het bedrijf onmogelijk zou kunnen leiden. Hij ziet ernaar uit dat zijn vader herstelt. Dan wordt het leven voor hem toch weer wat lichter, ook al zal de amputatie, zoals hij de dood van zijn vrouw noemt, altijd voelbaar blijven. Nu is er niets dat hem afleidt. Of het moesten de kinderen zijn. De arme stakkers, die voor de zoveelste keer verkast zijn. Een nicht van zijn moeder kwam hem nog voor de begrafenis te hulp. Een ongetrouwde vrouw die in het buitenland werkzaam is en tijdelijk in Nederland vertoeft om de nalatenschap van haar ouders te regelen. 'Ik heb de handen wel vol, maar die kinders kunnen er best bij. Ik heb hulp in huis en de ruimte, Daan.' Wat een zegen, nicht Clarissa. Jammer dat het een tijdelijke oplossing is. Daan balt een vuist. Hij is er de man niet naar om zich door wat voor omstandigheden ook te laten kisten. Handelen, is zijn motto. Autorijden lukt nog niet, maar hij is niet voor één gat te vangen, toch? Hij staat op, stopt zijn mobieltje in zijn zak en haalt een envelop uit de kast. Daarin zitten de foto's van de schilderijen van zijn grootvader plus een paar commentaren van de huidige bezitters. Een binnenkomertje bij Annerieke: hij moet nieuwe foto's maken. Toch? Vooral omdat haar schilderij nummer twee in de reeks is. Zijn oorspronkelijke bedoeling is omgezet. Nu wordt het een hommage aan de vrouw die zo veel onderduikers het leven heeft helpen redden. Verslagen over oorlogsgebeurtenissen gaan er nog altijd in als koek, ook na zo veel jaren. Een taxi is gauw gebeld. Hij roept onder aan de trap dat hij vertrekt. Het kost moeite het gebrom van de stofzuiger plus begeleiding te overstemmen. Wacht. Wanneer de taxi

voorrijdt, grijpt hij nog snel zijn camera uit een kast. Dan haast hij zich naar de voordeur.
Annerieke staat, zoals ze zo vaak doet, met de armen over elkaar en vol gedachten voor het raam naar buiten te staren zonder iets in zich op te nemen. Kijk, er stopt een auto. Nee, het is niet Harold. Gelukkig maar. Ze moet hem op afstand houden voordat zijn gedachten een kant op gaan die ze niet wil. Daan! Het is alsof er lood door haar aderen vloeit in plaats van gezond, rood bloed. Ze struikelt over haar voeten wanneer ze naar de voordeur loopt. Bellen hoeft hij niet. De taxi trekt op. Daar staat ze, in de deuropening. Haar gezicht is één groot vraagteken.
Daan blijft bij het hekje staan en zoekt een moment steun. Hij loopt nogal moeizaam op haar af. 'Je hebt niet de moeite genomen om me zelf te vertellen dat je het zat was voor ons te zorgen. De kinderen, lastig... Daisy, vies en blafferig... En meer.' Bij de laatste woorden staan ze tegenover elkaar.
Anneriekes ogen zijn groot. Ze is verbijsterd. Ze schudt haar hoofd. 'Ik...'
Daan slaat zich voor het hoofd. 'Gek die ik ben, om haar te geloven. Maar ik deed het wel.'
Annerieke doet een paar stappen achteruit om hem binnen te laten.
Daar staan ze dan, in de hal, tegenover elkaar.
Daan ziet er niet goed uit. De situatie heeft zijn gezicht getekend. De lijntjes om zijn ogen zijn verdiept. Om de mond zijn twee groeven die Annerieke er eerder niet zag. 'Dank je wel voor je briefje.' Het komt er schor uit. Dan laat Daan zijn reserves varen. Hij trekt Annerieke nogal ruw tegen zich aan en houdt haar zo stevig vast dat ze bijna geen lucht meer kan krijgen.
'Jij... Zeg dat je terugkomt. Dat het leugens waren.'
Annerieke piept: 'Ja ja, dat wil ik.'
Daans greep verslapt. Hij houdt haar iets van zich af om haar

in de ogen te kunnen kijken. 'Mijn aanbod staat nog steeds. Maar ik denk dat er heel wat te bepraten valt. Misverstanden, mag ik hopen.'
In de kamer gaan ze tegenover elkaar zitten.
'Ik begin. Ik vraag, en jij komt met eerlijke antwoorden. Millie. Hoe is dat allemaal in zijn werk gegaan?'
Annerieke kan kort zijn. Ze vertelt hakkelend hoe ze door de vriendin des huizes is ontvangen en op straat is gezet. 'Ik kon toch niet weten... Wat weet ik nou van jou? Ik ken je niet echt. Toch?'
Daan gromt. 'Dat gaat veranderen. Die ellendige meid heeft al eerder voor problemen gezorgd. Liegen alsof het gedrukt staat is haar tweede natuur. En ik geloofde haar ook nog toen ze laconiek leugens over jou vertelde. Maar toen kwam dat met moeder ertussen. Heel even was ze onmisbaar. Totdat de schellen me van de ogen vielen. Gelukkig was daar een nicht, Clarissa, die een paar weken tijd heeft om Andie en Kleintje op te vangen. Annerieke, ik ben stapel op je. Dagen, weken ben ik niet aan mezelf toegekomen. Werken, zorgen, slapen en zoiets als eten. Het is alsof ik uit een donkere tunnel in het licht ben gestapt.'
Annerieke zit gespannen op haar stoel. De handen tot vuisten gebald. Ze zou Daan willen troosten, de lijntjes in zijn gezicht zelfs willen zoenen. 'Daan dan toch.'
'Annerieke dan toch.' Hij komt nogal moeizaam overeind en op haar af.
Nu zit ze net als Thea toen Titus naar haar toe liep. Ze kijkt als een bang vogeltje. Bang, omdat er een grote verandering op haar afkomt, en heel veel onzekerheid.
'Ik ben gek op je. Je hebt iets wat ik niet kan omschrijven, maar waar ik onbewust mijn leven lang op gewacht heb. En het heeft niets met de kinderen te maken. Ook al zou het geweldig zijn als jij... Maar ja, je moet het van harte willen.' Hij legt zijn brede handen op de leuningen van haar stoel, en zijn

gezicht is zo dicht bij het hare dat ze zijn pupillen kan zien, de minilijntjes om zijn mond, het scheerwondje op zijn ene wang.
Het is alsof ze overweldigd wordt door iets waarvan ze het bestaan niet wist. Ze drukt haar rug nog steviger tegen de leuning aan, alsof ze zo kan ontsnappen. Ze dwingt zichzelf haar ogen niet voor de zijne neer te slaan.
Daan gromt. 'Jij ontkomt me niet weer.' Dan kust hij haar, eerst voorzichtig op de ene wang, dan op de andere.
Eén ruk, en ze staat op haar voeten.
Handen omvatten haar gezicht, houden het omhoog.
Heel bewust en voorzichtig plant Daan zijn mond op de hare. Wanneer hij voelt dat Annerieke niet tegenstribbelt, is het gedaan met zijn kalmte. Hij kreunt, hij verlangt, hij is een man van vlees en bloed. 'Wil je me wel hebben?' Hij vraagt het nederig, alsof ze zou kunnen weigeren.
'Jou? Ik... Daan, ik heb je zo gemist. En de kinderen, en Daisy. Maar jou het meest van alles. Daan dan toch.'
Ach, er is zo veel dat besproken moet worden. Twee levens die samen verder willen totdat de dood hen scheidt. Dat vraagt nogal wat. Maar ze gaan ervoor. Alles wat mogelijk is, willen ze in de toekomst delen.
Annerieke beseft dat ze niet alleen echtgenote zal zijn, maar ook moeder.
'Het zal je veel kosten, liefste van me. Kinderen eisen. Ze laten je niet veel vrije tijd. Je kunt niet meer gaan en staan waar je wilt. Jaren lang zullen we rekening met hen moeten houden.' Daan zwijgt even en zegt dan: 'En zo God wil, met kindertjes van jou en mij erbij.'
Annerieke zegt het goed te beseffen. 'Het is meer dan een baan. Ik weet het. En toch wil ik desondanks vrijwilligerswerk blijven doen. Zoals jij een bestuursfunctie hebt, wil ik me definitief inzetten voor het inspreken. Jezelf geven en wegcijferen is voor mij echt leven. O, Daan, ik heb voor het eerst in

mijn leven zicht, uitzicht. Een toekomst met jou.' En dan, alsof ze het nu pas echt beseft: 'Ik ben nodig. Jij, de kinderen en anderen hebben me nodig. Een mens is niet voor zichzelf alleen geschapen. God wil dat we er zijn voor anderen, vrijwillig. En ik? Ik heb jou zo nodig, zo heel erg nodig.' Dat is wat telt op een moment als dit.

Daan neemt Annerieke mee naar de bank en laat haar geen moment los. 'Ik vraag je van harte met me te trouwen. Liefste Annerieke, meisje van het schilderij. Laat me niet smachten en wachten.'

Annerieke lacht. Ze denkt aan Yalda en haar adviezen. 'Natuurlijk niet. Ik wil niet anders. Daan, ik ben zo blij met je.'

Al het andere kan wachten. De eerste en belangrijkste stap is gezet.

'Liefde, zo heet het toch? Het is niet te verklaren, maar ik wil niets anders dan er zijn voor jou, Daan Agricola.'

Daan grijnst. Hij tekent met een vinger langs de lijntjes van Anneriekes gevoelige lippen, die rood zijn van het zoenen. 'En ik... Hoe zeg je dat ook weer zo fraai? In goede en slechte tijden. Tot...' Annerieke legt een hand over zijn mond.

'Sst, niet uitspreken. Dat weet ik zo ook wel. Ongelukkig ben ik nooit geweest, Daan, liefste. Maar nu, nu weet ik wat het woord 'geluk' werkelijk betekent.'

Die opmerking, die recht uit haar hart komt, vraagt om een bezegeling in de vorm van een intense kus, die een belofte is voor de toekomst.